人民胜利渠灌区节水改造技术研究

主　编　温　季　李修印　王立正　李中生
副主编　周新国　朱传令　贾树宝　吴中心
　　　　郭树龙
编　委　杨林同　李玉娥　程顺中　郭冬冬
　　　　谭兴华　马喜东　常国兴　尚三林
　　　　张锡林　朱留杰　罗华梁　崔恩贵
　　　　马小兵　张钦武　刘国富

黄河水利出版社

图书在版编目(CIP)数据

人民胜利渠灌区节水改造技术研究/温季等主编.
—郑州:黄河水利出版社,2002.9
ISBN 7-80621-604-9

Ⅰ.人… Ⅱ.温… Ⅲ.黄河—引水渠—灌区
—节约用水—灌区改造改善—河南省 Ⅳ.S279.261

中国版本图书馆 CIP 数据核字(2002)第 072978 号

出 版 社:黄河水利出版社
地址:河南省郑州市金水路 11 号 邮编:450003
发行单位:黄河水利出版社
发行部电话及传真:0371-6022620
E-mail:yrcp@public2.zz.ha.cn
承印单位:黄委会印刷厂
开 本:850mm×1 168mm 1/32
印 张:6 插页:1
字 数:150 千字 印数:1-1 500
版 次:2002 年 9 月第 1 版 印次:2002 年 9 月第 1 次印刷

书号:ISBN 7-80621-604-9/S·45 定价:12.00 元

前　言

人民胜利渠是新中国成立初期在黄河下游兴建的第一个大型引黄灌溉工程。自1952年4月开灌后,揭开了黄河下游开发利用水沙资源的序幕,结束了"黄河百害,惟富一套"的历史,为我国引黄灌溉事业的发展,做出了不朽的贡献。

人民胜利渠灌区是我国重要的粮、棉、油生产基地,肩负着农业灌溉和城市供水的重任。开灌以来,不仅使灌区的工农业生产得到了很大的发展,同时对生态环境的改善及人民生活水平的提高都发挥了重要作用。但是,经过近五十年的运行,灌区工程老化严重,其功能和经济效益大大降低,已不能适应当前农业和城市工业及生活用水的要求,因此急需进行技术改造。

为了使灌区节水改造规划在整体性、科学性、先进性与实用性方面更趋合理和完善,由河南省人民胜利渠管理局、水利部农田灌溉研究所和河南省水利勘测设计院的十余名科技人员组成"人民胜利渠灌区节水改造技术研究"课题组协同研究。针对灌区工程规划设计中存在的问题,从水土资源的合理开发利用、井渠结合的型式与布局、田间工程配套模式及灌排技术、泥沙处理方式和灌区水污染防治对策及建议五个方面开展了一系列的研究工作。两年来,专题组采取现场调研,分析应用历史资料和已有研究成果,召开专题讨论会,开展必要的补充试验和观测等方式进行了上述几个方面的研究。其间,在广泛征求灌区及设计部门意见的基础上,根据研究内容对其中的关键问题组织由有关专家参与的研讨会,多次进行了探讨,找出了问题存在的主要原因,并提出了解决问题的措施。所提出的水土资源合理开发利用方案,在对灌区水土资源现状及开发利用潜力分析的基础上，对灌区的合理开发规模及相应的灌溉用水和节水技术模式进行了分析确定，为节水改造总体规划提供了科学依据；提出的井渠结合型式与布局，田间工程配套模式及灌排技术，从改善生态环境、提高经济效益及节约用水的角度出发，阐明了井渠结合灌区在灌、排、路、林、井综合治理下的工程规划原则、配套模式、灌水技术等，为引黄井渠结合灌区工程布局规范化、水量调度科学化、灌溉技术先进化奠定了坚实的基础；在泥沙处理方面，结合灌区的具体情况和不同的工程条件，分析了各种处理措施的适用性和可行性，提出了适合灌区泥沙处理的工程措施和管理措施，为灌区泥沙处理指明了方向。部分研究内容在国内外尚属首次开展，而且所有成果也已被灌区管理部门及设计部门所接纳，并将在今后的工程规划设计中加以采用。

该研究对老灌区节水改造规划在科学性与先进性方面将有很大的提高，在规划设计中使用该成果，不仅可以使灌区灌溉水利用系数提高到0.6以上，同时对减少渠道淤积、降低泥沙处理费用、保持灌区地下水位的采补平衡及提高灌溉效益也将起到非常重要的作用。因此，预期经济效益、社会效益和生态效益都非常明显，这对于以节水为中心的大型灌区改造有其不可估量的作用。

本书是在以上研究成果的基础上编撰而成的。可供从事灌区规划、管理、研究的科技及管理人员参考借鉴。

限于编者水平，书中难免有不足和疏漏之处，敬请读者批评指正。

编　者

2002年6月

目　录

前　言
第一章　灌区概况 ………………………………………… (1)
1.1　自然条件 ………………………………………… (1)
1.2　水利工程现状 …………………………………… (2)
1.3　社会经济情况 …………………………………… (3)
1.4　灌区存在的问题 ………………………………… (4)
第二章　水土资源合理利用 …………………………… (7)
2.1　土地资源合理利用研究 ………………………… (7)
2.2　水资源合理利用研究 ………………………… (12)
第三章　井渠结合型式与布局 ……………………… (35)
3.1　井渠结合发展过程 …………………………… (35)
3.2　井渠结合现状与存在的问题 ………………… (36)
3.3　井渠结合型式与布局 ………………………… (38)
3.4　用水管理 ……………………………………… (47)
3.5　小　结 ………………………………………… (48)
第四章　灌区田间工程配套模式及灌排技术研究 …… (50)
4.1　灌区田间工程配套模式研究 ………………… (50)
4.2　田间灌排技术研究 …………………………… (60)
第五章　灌区泥沙处理方式分析论证 ……………… (92)
5.1　灌区泥沙基本情况 …………………………… (93)
5.2　水沙条件的变化 ……………………………… (96)
5.3　灌区泥沙处理的主要经验 …………………… (99)
5.4　目前灌区泥沙处理存在的主要问题 ………… (103)
5.5　今后灌区泥沙处理两种可能方式的分析 …… (105)

5.6　浑水灌溉泥沙处理方案探讨 …………………… (109)
5.7　小　结 ………………………………………… (121)
第六章　水污染防治对策与建议 ………………… (122)
6.1　灌区水环境工程概况 ……………………… (123)
6.2　灌区水质现状及评价 ……………………… (125)
6.3　灌区水质污染成因分析 …………………… (147)
6.4　灌区水质污染防治对策与建议 …………… (149)
6.5　小　结 ………………………………………… (154)
第七章　灌区农田节水工程典型区设计 ………… (156)
7.1　丁庄低压管道工程典型区设计 …………… (156)
7.2　小渭低压管道工程典型区设计 …………… (163)
7.3　乔庙 U 型渠道衬砌工程典型区设计………… (170)
7.4　大介喷灌工程典型区设计 ………………… (173)
7.5　阎庄喷灌工程典型区设计 ………………… (178)

第一章　灌区概况

人民胜利渠灌区位于河南省北部黄河北岸，始建于解放初期的1951年，因其为“新中国引黄灌溉第一渠”而享誉国内外。开灌近五十年来，灌区在工程建设、管理、科研等方面为黄河下游引黄灌溉的发展，探索总结了许多先进经验和成果，是引黄灌区的窗口。

1.1　自然条件

人民胜利渠灌区位于河南省北部，东经113°31′～114°25′，北纬35°0′～35°30′，总面积1 486.84km^2。受历代黄河泛滥沉积等影响，以古黄河废堤（古阳堤）为界，在灌区内形成三个主要地貌单元：古阳堤以南为古黄河漫滩区；古阳堤以北为古黄河背河洼地区；卫河两侧为卫河淤积区。灌区土壤以中壤和轻壤为主，其中中壤占50.7%，轻壤占27.6%，其余为沙壤、重壤等。灌区水文地质状况，随地貌单元不同而有所差异。古黄河漫滩区地势高亢，地面、地下水径流条件较好，地下水埋深6m左右，地下水矿化度一般为1g/L左右，土体含盐量1‰左右。古黄河背河洼地区，地势低平，地面高程较古黄河漫滩区低3～4m，地面水、地下水径流条件差，地下水埋深3m左右，地下水矿化度多为2g/L左右，土体含盐量1‰左右。灌区历史上遗留下来的0.68万hm^{2}老盐碱地都分布在此区域内，如获嘉县的丁村和新乡县的洪门都是有名的老盐碱区，地下水矿化度均在4g/L以上，土体含盐量3‰以上。灌区地下水流向与地面坡向一致，都是西南至东北，坡降1/4000左右。灌区地下水有两个含水层组，第一个含水层组为浅含水层

（潜水）组，底板埋深40～60m；第二个含水层组为深含水层组，底板埋深为90～110m。浅含水层组以粉细沙、中沙和粗沙为主，层内无稳定连续的黏土、亚黏土隔水层。

灌区属暖温带大陆性季风气候带，年平均气温14.5℃，最高41℃，最低－16℃；无霜期210天左右，早霜多出现在10月下旬，晚霜出现在3月中、下旬；多年平均水面蒸发量1 860mm左右，降雨量600mm左右，雨量少且在年内分布不均，6～9月份的降雨量占全年降雨量的70%～80%。因而形成冬春干旱、夏秋多雨、先旱后涝、涝后又旱、旱涝交替的气候特点。

1.2　水利工程现状

人民胜利渠灌区有四套工程系统，即：

(1)渠灌系统：包括各级渠道及其相应的控制（进水闸、节制闸）、连接（渡槽、跌水、涵洞等）建筑物组成。有总干渠一条，长52.7km，渠首正常引水流量60m^3/s，最大可引水100m^3/s；干渠5条，支渠43条，斗渠250条，农渠1 771条。灌溉渠系总长1 635.1km，其中混凝土衬砌渠长391km，占总长度的23.9%；有各种建筑物4 675座。在总干渠1号跌水上，布设电站一处，总装机容量625kW。

(2)排水系统：卫河为灌区地面水和地下水的总承泄区。灌区内有干排4条，支排33条，斗排59条，在部分盐碱地区，还布设有农排。目前干排可以排地下水，支、斗排主要排地面水。排水系统的除涝标准均按5年一遇设计开挖。近些年来，受工业企业影响，加重了污染和淤积，急需进行治理。

(3)泥沙处理系统：此系统于20世纪80年代末已失去作用。主要由沉沙条池、引水渠、退水渠和进、出水闸及桥梁等建筑物组成，进行自流沉沙。人民胜利渠开灌的前37年，通过沉沙池沉沙改土、放淤稻改，一共改造低洼易涝盐碱地0.5万余hm^2，这些过去种不保收的不毛之地，经过沉沙改土后，都成了高产稳产农田。

(4)井灌系统：由农用机井、低压输配电线路以及相应的田间工程组成。目前灌区有农用机井约15 475眼，配套12 923眼。农用机井均在第一含水层取水，井深30～40m。机井的分布，在灌区上游及渠灌用水较方便的地区，密度较小，一般每千公顷耕地只有120～135眼；在灌区下游及边远地区，密度较大，每千公顷耕地有机井165～180眼。从单井出水量来看，在抽降3～5m的情况下，古黄河漫滩区大于古黄河背河洼地区，古黄河背河洼地区大于卫河淤积区，且自灌区东南部向西北部递减，如冯庄、七里营一带为120～160m^3/h，中部亢村、小吉一带为80～120m^3/h，西北部太山庙、大召营一带为40～80m^3/h。

1.3 社会经济情况

人民胜利渠引黄灌区位于河南省黄河北岸，北以卫河、南长虹渠为界；南为原阳的师寨、新乡的郎公庙、延津的榆林、滑县的齐庄一线；西以武嘉灌区和共产主义渠为界；东以红旗总干渠为邻。其地域主要包括新乡、焦作、安阳三市的新乡县、新乡市郊、原阳、获嘉、延津、卫辉、武陟、滑县共七县一市郊。共计有38个乡，793个村，总人口106.9万，其中农业人口94.4万。总土地面积1 486.84km^2，规划设计灌溉面积为9.92万hm^2。灌区发展至今，有效灌溉面积已达到5.65万hm^2。灌区作物种植以旱作为主，并有部分麦茬晚稻，在1996～1998年统计的9.61万hm^2耕地面积中，小麦占70%，棉花占24.2%，玉米占44.1%，水稻占20%，其他占11.7%。复种指数约1.7。由于受旱涝碱的综合危害，开灌前，1951年粮食每公顷产量只有1 327.5kg，皮棉217.5kg。1952年开灌后，灌溉水源有了保障，灌区农业生产得到了稳步发展，粮食产量逐年提高，至1958年，全灌区粮食每公顷产量达2 625kg，皮棉600kg。开灌初期，由于排水系统不够完善，产量虽然逐年有所提高，但地下水位也在逐年上升，至1957年底，全灌区地下水平均埋深已由3m左右减少到1.8m。1958年以后，又错误地采取大引、大蓄、大灌的方针，1958～1961年，平均年引水天数达331天，1960年引水358天，渠首引水量达16.62亿m^3，是正常灌溉用水的5倍，这更加恶化了灌区的地下水状况。1961年灌区地下水平均埋深只有1.40m，小于临界深度2m的要求。由于地下水长期处在高水位，土壤次生盐碱化有所发展，1961年全灌区有盐碱地面积1.88万hm^2。随着盐碱地面积的扩大，粮食产量也逐年下降，当年全灌区粮食年每公顷产量只有1 440kg，皮棉255kg，于是出现了"平大河，吃大馍"的混乱局面，灌溉面积由4.8万hm^2缩减到不足2万hm^2。在总结经验教训的基础上，自1962年起，灌区大搞了三年除涝治碱工程，开挖疏浚了卫河和东、西孟姜女河，打通了排水出路，在面上开挖整修了各级排水河道463条。与此同时，灌区实行了控制性灌溉，一年只放几次关键水。在减少来水量、增加去水量的条件下，灌区地下水位逐年下降，特别是1964年灌区开始实行井渠结合以后，地下水位下降更快，1965年全灌区地下水平均埋深达到2.54m，盐碱地面积缩小到0.68万hm^2，1.2万hm^2次生盐碱地已基本得到了改良，粮棉产量又逐年提高，1965年全灌区粮食每公顷产量达到3 105kg，皮棉525kg。自此以后，灌区在灌排并举、井渠结合、科学用水的方针指导下，生态环境日益得到改善，生产稳步发展，特别是中共十一届三中全会以后，进一步贯彻了农村经济政策，1978年以来，灌区粮食平均年每公顷产量都在9 000kg以上，最高的达9 750kg，皮棉平均年每公顷产量都在900kg以上，最高的达到1 425kg。目前全灌区地下水平均埋深在3～5m，0.68万hm^2老盐碱地已改良0.5万余hm^2。

1.4 灌区存在的问题

人民胜利渠开灌近50年来，经过与旱涝碱作斗争，粮棉产量有了大幅度提高,灌区生态环境有了很大改善,但总的看来,还只处在一个中等的发展水平上。目前主要存在以下几个问题。

1.4.1 工程老化失修,灌溉效益不能充分发挥

1986 年,灌区进行了一次工程普查,250 条斗渠,只有斗门 243 座,其中还损坏了 67 座;1 771 条农渠,只有农门 1 163 座,其中损坏了 526 座,占 45%,且有三分之一的农渠没有农门,靠直接扒口浇地。由于工程损坏严重,灌溉面积不断衰减。

1.4.2 渠系及田间工程配套不全,水量损失严重

人民胜利渠灌区的工程设施除骨干渠道(总干渠、干渠)归灌区管理部门管理外,支渠及其以下渠道都由地方管理,因此在长期运行过程中,由于缺乏必要的资金支持,灌溉渠系不仅配套差,而且衬砌率也非常低。据灌区普查资料统计,全灌区渠道衬砌率仅为 24% 左右,因渠系渗漏和管理等原因,渠系水利用系数仅为 0.5 左右。同时,由于田间工程配套不健全,灌水沟畦规格不合理,灌水技术落后,灌水定额过大,田间渗漏蒸发损失严重,总的灌溉水利用系数仅为 0.38。另外,由于没有很好地将工程技术措施、农业技术措施和管理措施有机地结合起来,发挥综合效益,灌区的水分生产率仅为 $1kg/m^3$ 左右,不到发达国家的一半。所以,对灌区进行以节水为中心的技术改造势在必行。

1.4.3 处理泥沙困难,渠道淤积严重

人民胜利渠自开灌以来,一直靠开劈沉沙池处理入渠泥沙。到 20 世纪 80 年代末,通过沉沙池沉沙改土、放淤稻改等措施,已改造低洼地 0.47 万 hm^2,过去的不毛之地,现在都成了高产稳产农田,若再在已改造好的土地上开劈沉沙池,进行二次复淤,不仅群众阻力很大,而且工程造价、土地赔偿的投资也很大。近十余年来,由于没有沉沙池处理入渠泥沙,加上原来设计的渠系输沙能力又很低,致使每次放水灌溉后,渠道淤积严重,不仅增加了群众的清淤负担,而且也影响了工程效益的发挥。

1.4.4 土壤次生盐碱化的威胁依然存在

目前灌区尚有老盐碱地 0.13 万 hm^2,这些地区的粮食年每公顷产量都在 6 000kg 以下,影响了灌区产量的提高。还有一部分低洼易涝地区,本来也潜伏着次生盐碱化的威胁,只是因为改种水稻以后,在淹灌淋洗的作用下,土壤经常处于淋盐状态,加上近些年地下水位较低,所以才没有表现出盐碱化的威胁。

第二章　水土资源合理利用

2.1　土地资源合理利用研究

2.1.1　土地资源利用现状

人民胜利渠灌区是黄河下游兴建的第一个大型灌区，位于河南省黄河北岸，1951 年 1 月开工，1952 年 3 月开灌。通过 50 年来的不断开发建设，面积不断扩大。特别是从 1992 年以后开始向灌区下游送水补源，结合补源灌区井灌的迅速发展，人民胜利渠灌区的面积更是进一步发展。表 2－1 是人民胜利渠灌区灌溉面积统计表。

现在人民胜利渠灌区北以卫河、南长虹渠为界；南为原阳的师寨、新乡的朗公庙、延津的榆林、滑县的齐庄一线；西以武嘉灌区和共产主义渠为界；东以红旗渠总干渠为邻。灌区主要包括新乡、焦作、安阳三市的新乡县、新乡市郊、原阳、获嘉、延津、卫辉、武陟、滑县共七县一市郊。共计 38 个乡，793 个村，总土地面积1 486.84 km^2，其中耕地面积9.92 万 hm^2，占总面积的66.74%；河道湖塘水域面积0.70 万 hm^2，占总面积的 4.7%；居民及其他占地面积3.13 万 hm^2，占总面积的 21.08%；其他面积 1.11 万 hm^2，占总面积的 7.48%。

灌区农业用地中，复播指数 1.7，总灌溉面积 9.63 万 hm^2，其中粮食作物灌溉面积 7.33 万 hm^2，占 76%；蔬菜面积 0.25 万 hm^2，占 2.6%；经济作物面积 1.87 万 hm^2，占 19.3%；另有果林面积 0.18 万 hm^2。

灌区大部分为黄河冲积平原，土质多为黄土状物质，颗粒细而均匀，土壤有潮土、风沙土和盐土三大类。潮土是灌区分布较多的土壤,占灌区面积的75%左右,风沙土主要分布在大沙河南侧一带,而盐土分布在河道两侧或低洼地带。

表2-1 人民胜利渠灌区灌溉面积统计

年份	实灌面积(万 hm^2)
1983	4.0
1984	4.3
1985	4.3
1986	4.3
1987	4.9
1988	4.3
1989	4.3
1990	4.3
1991	4.7
1992	5.0
1993	5.5
1994	6.1
1995	6.3
1996	7.5
1997	8.6
1998	9.1

土地资源利用现状见表2-2。

2.1.2 土地资源利用现状特征

综合全灌区土地利用现状,有如下特征:

(1)灌区内土地利用程度较高。

全灌区土地利用率为88.86%,集约化程度也较高,农业劳动力人均耕地0.21hm^2,机耕面积9.15万 hm^2,占耕地面积的92.2%。

表 2-2　土地资源利用现状　　（单位：万 hm^2）

序号	项目	指标
一	灌区总土地面积	14.86
1	总耕地面积	9.92
2	居民及其他占地面积	3.13
3	河道湖塘面积	0.70
4	其他面积	1.11
二	设计灌溉面积	9.92
三	有效灌溉面积	5.65
四	中低产田面积	2.97
五	粮食作物灌溉面积	7.33
六	蔬菜灌溉面积	0.25
七	其他经济作物灌溉面积	1.87
八	果林灌溉面积	0.18
九	牧草灌溉面积	

注:①复播面积的复种指数为 1.7;②其他占地是指工业、道路、工程等占地;③其他经济作物是指棉、油、糖等作物。

(2)园林和林业用地开发程度低,有较大潜力。

灌区内园林地基本上为果园,少量桑园,存在着品种单一、经营粗放等问题。尚有一部分荒地没有开发利用,农田林网也不完善,牧草地基本没有,林业用地开发程度低。

(3)土地资源受到一定程度的破坏。

灌区在土地利用过程中,经过不断地改造利用调整,土地资源潜力得到不断发挥,但受一些不合理因素影响,土地资源受到不同程度的破坏。沿古黄河地区自然条件差,旱涝灾害频繁,耕地重用轻养,肥力下降,作物品种单一,使耕地质量下降。

(4)耕地面积减少,非农业用地浪费。

农民居住用地不断扩张,占用了大量耕地,城镇布局杂乱,内虚外实,用地不合理,工矿企业乱占耕地。

(5)土地缺乏统一规划,影响开发利用。

灌区的土地利用还缺乏宏观调控,不能合理开发利用,没有科学地统一规划,造成工农业争地现象。

灌区整体用地不甚合理,农业结构还应进一步根据国民经济发展和市场需求作出调整。

2.1.3 土地资源利用发展研究

随着灌区内国民经济的发展和人民生活水平的提高,加大了对土地资源的要求,虽然土地利用程度在逐年提高,但居民区及道路占地增加,可开垦的荒地在逐年减少,造成了可用耕地也越来越少。

土地资源是有限资源,是不可再生资源,灌区土地资源绝不可任意浪费。对灌区内用地必须统筹兼顾、科学规划、合理布局、全面开发。在综合考虑各行业的用地需求的同时,要提高土地综合效益和集约化程度。综合考虑,需注意以下几方面:

(1)贯彻基本国策,切实保护耕地。土地是不可再生资源,灌区内人多地少,必须切实保护耕地,要合理地利用每一寸土地,不得乱占耕地。

(2)提高土地综合利用率。居住、道路等非农业用地应尽量利用未开垦荒地及条件差的耕地,不得或少占良田。另外,还要增加复播指数,提高土地利用率;加大经济作物及园林果木等高效益种植面积;科学管理增加土地单产,以增加整体效益。

(3)注重实际,统筹安排。灌区内要从长远目标出发,正确处理各部门用地的关系,全面考虑,注重实际,搞好规划,统筹兼顾各方面的利益。

(3)注重综合效益的提高。土地合理利用最终要取得好的效益,使用土地不仅限于生产效益,还应考虑社会效益,而且必须兼顾生态效益,只有综合考虑才是真正地合理高效利用土地。

2.1.4 土地资源可利用能力分析

根据以上原则和灌区的客观实际情况,对灌区土地统筹考虑、合理布局、科学规划、平衡分析得出到2015年土地利用能达到的标准(见表2-3)。

表2-3 2015年土地资源利用能力 (单位:万 hm^2)

序号	项目	指标
一	灌区总土地面积	14.87
1	总耕地面积	9.72
2	居民及其他占地面积	3.48
3	河道湖塘面积	0.46
4	其他面积	1.21
二	设计灌溉面积	9.72
三	有效灌溉面积	9.72
四	中低产田面积	0
五	粮食作物灌溉面积	9.73
六	蔬菜灌溉面积	0.71
七	其他经济作物灌溉面积	7.20
八	果林灌溉面积	0.29
九	牧草灌溉面积	

注:①复播面积的复播指数为1.85;②其他占地是指工业、道路、工程等占地;③其他经济作物是指棉、油、糖等作物。

2.2 水资源合理利用研究

2.2.1 灌区自然概况

2.2.1.1 灌区地形地貌

人民胜利渠灌区位于河南省北部，黄河以北，东经 113°31′~114°25′，北纬 35°0′~35°30′。灌区总土地面积 14.86 万 hm^2，耕地面积 9.92 万 hm^2。灌区地势平坦，大体是西南高、东北低，地面坡降不大，平均坡降约 1/4000。

灌区地貌分六个单元：①黄河漫滩区：位于黄河河槽与大堤之间，土质为沙质壤土。②黄河背河洼区：在黄河大堤背后宽 3~5km 的槽形洼地，土质为沙壤土。③古黄河河槽：为古黄河的沉积物，土质为中细沙。④古黄河滩区：在古阳堤与黄河故道之间，土壤为中壤土。⑤古黄河背河洼区：位于古阳堤左侧，土质以轻壤、中壤为主。⑥太行山前交接地：位于卫河南岸一带，以重壤黏土为主。

2.2.1.2 灌区水文地质条件

人民胜利渠灌区属暖温带大陆性季风气候，四季分明，春季干旱少雨、风沙大，夏季炎热、雨量丰富，秋高气爽、温差大，冬季寒冷、雨雪量少。年平均气温 14℃，最高气温 41℃，最低气温 -16℃。无霜期 220 天，早霜多在 10 月下旬出现，晚霜多在 3 月中、下旬出现。平均水面蒸发强度 1800mm 左右。多年平均降雨量 600mm 左右，年际悬殊很大，年内分配也很不均匀，有近 70% 的雨量分布在 6~9 月，因而形成冬春干旱、夏秋易涝、先旱后涝、旱涝交替的气候特点。

灌区内的水文地质状况随地貌影响有所不同，地表水、地下水条件良好，地下水还是比较丰富的，平均地下水位大多维持在 3~5m，地下水矿化度为 1~2g/L，土体含盐量 0.1%~0.2%。灌区内土壤以中壤土（50%）和轻壤土（27.6%）为主，兼有沙壤和重壤土。

2.2.2 灌区水资源

灌区水资源主要由三部分组成:一是引黄河水,二是降水资源,三是地下水资源。

2.2.2.1 黄河水

黄河水是人民胜利渠灌区的惟一地上水源。灌区引水量除受工程本身引水能力限制外,主要受黄河水来水流量大小及含沙量的影响。灌区的黄河来水采用花园口站的黄河来水。由黄河花园口站多年流量资料,可计算出多年月平均黄河流量,见表2-4。

表2-4 黄河花园口站流量

保证率(%)	月平均流量(m^3/s)											
	7	8	9	10	11	12	1	2	3	4	5	6
50	1 040	1 464	993	742	668	593	676	397	718	728	647	769
75	1 837	1 233	278	391	591	414	410	398	636	642	459	519

采用1995~1997年花园口站日流量与人民胜利渠渠首闸前水位,点绘出黄河水位流量与渠首闸闸前水位关系表(见表2-5)。

表2-5 黄河流量与渠首闸闸前水位关系

黄河流量(m^3/s)		100	200	300	400	500	600	800	1000
闸前水位(m)	上限	93.22	93.61	93.83	94.10	94.17	94.32	94.57	94.77
	下限	92.45	92.88	93.14	93.35	93.55	93.70	94.01	94.25
	平均	92.84	93.25	93.49	93.73	93.86	94.01	94.29	94.51

据灌区渠首闸过水流量与闸前水位关系表(见表2-6),计算出设计流量时引水闸前水位。

表 2-6 渠首闸过水流量与闸前水位关系

过水流量(m^3/s)	55	60	70	80	90	100
闸前水位(m)	92.67	92.85	93.21	93.58	93.95	94.35

从以上分析计算可得,按设计流量 $80m^3/s$ 引水,黄河流量 $340m^3/s$ 时即可满足闸前的水位要求,表明渠首闸的引水保证程度很高。

灌区引水除受其引水能力及黄河水位影响外,还受到黄河泥沙的影响。黄河河南段来沙采用三门峡水库"蓄清排浑"运用方式以来的资料,据花园口站 1974~1997 年的实测资料统计,多年平均含沙量为 $24.4kg/m^3$,汛期平均含沙量为 $35.65kg/m^3$,非汛期含沙量为 $6.25kg/m^3$,各月平均含沙量见表 2-7。

表 2-7 黄河花园口站月平均含沙量 (单位:kg/m^3)

年份	1月	2月	3月	4月	5月	6月	7月	8月	9月	10月	11月	12月	年平均
1974	7.11	11.3	10.3	7.98	6.61	4.6	23	72.4	22.7	26.5	13.3	11.9	22.1
1975	9.68	8.76	6.16	6.28	5.57	3.77	49.2	42.2	41.6	27.7	15.5	6.37	27.6
1976	6.07	6.09	5.85	4.28	2.987	2.54	13.2	36.7	25.4	12.8	10.1	6.8	18.4
1977	6.07	4.6	5.46	4.48	3.38	5.36	119	120	28.5	10.4	7.4	5.86	50.1
1978	3.79	2.43	4.53	4.16	4.43	5.36	99.4	59.6	44	18.2	10	6.54	35.3
1979	6.23	6.65	7.09	5.89	3.68	3	32.4	68.2	24.8	15.2	9.3	10.9	26.2
1980	8.01	7.08	5.85	4.38	4.06	5.13	34.2	46.5	24.2	19.5	12.5	8.78	18.9
1981	8.02	6.48	7.99	6.92	5.73	17.8	46.8	51.4	27.1	21.7	9.18	6.66	27.1
1982	7.06	7.11	8.04	4.95	4.27	3.43	15.2	29	16	14.5	6.66	5.43	14.7
1983	5.21	4.47	4.03	3.78	3.59	5.5	16	21.6	22	18.1	9.82	7.39	14.5
1984	3.03	3.33	6.89	3.51	3.14	14.7	20.8	29.1	22.7	11.4	6.28	5.8	16.3
1985	4.4	4.41	6.9	3.29	4.73	4.33	9.66	36.3	36.1	15.5	7.3	6.48	16.8
1986	4.55	3.63	4.93	2.8	3.02	3.81	31.5	13.7	10.6	4.7	2.99	4.18	11.4

续表 2－7

年份	1月	2月	3月	4月	5月	6月	7月	8月	9月	10月	11月	12月	年平均
1987	3.92	3.98	4.3	3.88	3.76	9.02	13.01	33.4	17.9	5.54	3.45	4.09	10.9
1988	4.66	5.22	5.54	4.29	3.7	6.02	72.3	70.7	20.4	11	5.98	7.72	35.9
1989	10.3	8.55	9.83	5.29	4.08	8.84	68.3	32.9	23.9	15.2	10.2	8.87	20.6
1990	5.13	7.9	7.32	4.68	4.02	6.73	37.1	37.8	36	26.5	8.96	9.94	18.1
1991	7.33	7.49	6.23	5.28	4.15	38.6	51.6	43.9	25.4	12.6	7.82	12.7	18.9
1992	6.91	8.7	10.7	6.88	5.02	9.26	29	113	37.6	12.5	7.08	7.88	37.3
1993	7.97	7.22	8.1	5.86	3.98	4.51	40.7	45.1	16	10.8	7.05	7.07	18.6
1994	5.63	6.93	6.03	5.39	3.67	5	51.5	103	51.5	8.47	12.5	13.5	33.48
1995	6.8	7.24	6.19	5.71	2.92	0.92	66	68.8	58	10.3	7.56	8.34	31.3
1996	4.16	5.54	6.25	6.84	4.43	7.81	108	72.1	19.5	8.48	9.23	7.02	34.3
1997	5.46	6.86	8.23	6.04	4.12	2.45	6.08	111	12.4	7.66	3.81	4.75	26.2
多年平均	6.15	6.33	6.78	5.12	4.13	7.44	43.91	56.60	27.68	14.39	8.50	7.71	24.37

此外要考虑到黄河水量不能按需所取，应该定量取水，根据黄委会的水量分配，人民胜利渠最多可引水 5.37 亿 m^3。

2.2.2.2 降水量

降水也是灌区水资源的一个主要来源，灌区自开灌以来就有详细的降水资料，中部建有忠义灌溉试验场，共有 1953～2000 年的降雨资料，多年平均降雨量不足 600mm（见表 2－8）。单从水量上看，有效降雨量并不能满足农田需水量的要求，还必须引黄河水和利用地下水。

2.2.2.3 地下水资源

人民胜利渠灌区地下含水层有两个：第一个含水层为浅含水层，即潜水，底板埋深在 40～60m；第二个含水层为深层含水层，底板埋深在 90～110m。潜含水层以细沙、中沙为主，含水量丰富，中

表 2-8　灌区忠义站降雨量资料

年　份	降雨量（mm）	年　份	降雨量（mm）
1953	633.0	1977	386.3
1954	648.0	1978	499.3
1955	878.3	1979	394.6
1956	632.9	1980	376.4
1957	705.8	1981	468.0
1958	521.7	1982	631.4
1959	430.1	1983	492.4
1960	533.8	1984	451.9
1961	613.2	1985	345.0
1962	849.5	1986	447.0
1963	933.8	1987	521.0
1964	398.7	1988	569.5
1965	355.6	1989	783.6
1966	545.7	1990	510.1
1967	483.1	1991	420.0
1968	643.2	1992	750.6
1969	634.6	1993	652.0
1970	490.9	1994	707.5
1971	728.4	1995	392.9
1972	607.8	1996	568.1
1973	567.9	1997	277.7
1974	617.6	1998	540.1
1975	482.1	1999	553.0
1976	742.1	2000	606.2

间无黏土隔层。灌区地下水主要利用的是潜层水，机井抽取深层水的很少。

灌区的地下水埋深多年来保持基本稳定，多在 3～5m，基本上保持了采补平衡，灌区内近几年的平均地下水埋深资料见表 2－9。

表 2－9　灌区地下水埋深

年份	深度(m)	年份	深度(m)
1976	1.79	1989	3.56
1977	1.91	1990	3.54
1978	2.32	1991	3.81
1979	2.30	1992	4.07
1980	2.53	1993	3.29
1981	2.64	1994	3.13
1982	2.81	1995	3.76
1983	2.70	1996	3.32
1984	2.86	1997	4.46
1985	3.00	1998	3.54
1986	3.09	1999	4.08
1987	3.46	2000	3.97
1988	3.52		

人民胜利渠灌区位于平原地区，地下水的水力坡降比较小，水量的水平移动较小，上下游的进出水量可忽略不计，即在地下水资源分析当中，不考虑侧向补给及排泄，属于“入渗—蒸发—开采型”。

地下水的补给主要有降雨入渗补给、灌区内河道侧渗补给、渠系渗漏补给、灌溉水回归补给。地下水排泄主要有人工开采和潜水蒸发。

(1)降雨入渗补给。指降水入渗到土壤，土壤水在重力的作用下继续下渗补给潜水含水层。其补给量的大小受很多因素影响,主要是地形岩性、地下水埋深及次降雨量等。灌区属于垂直入渗型。

(2)河道侧渗补给。灌区内当河道的水位高于灌区内的地下水位时,河道的水通过垂直或侧向渗透补给地下水。人民胜利渠灌区主要考虑灌区内的卫河、共产主义渠及孟姜女河的侧渗补给。侧渗量的计算方法有水文分析法、地下水稳定流计算法及地下水非稳定流计算法。灌区可采用地下水稳定流计算法进行计算。灌区上下游的越流补给及排泄量可基本抵消,不予计算。

(3)渠系渗漏补给量。当引水渠的水位高于地下水位时,渠道水通过土壤渗透进入地下水,地下水补给计算一般只计算干、支、斗渠的入渗量。对于井灌,由于渠系较短,入渗补给量很小,可忽略不计。

(4)灌溉回归水补给。灌溉水通过土壤渗透成为重力水,继续下渗补给地下水,但灌区为减少水量损失,使用小灌水定额,基本杜绝了渗漏。

(5)潜水蒸发。潜水蒸发是地下水排泄最主要的因素,蒸发量的大小主要取决于气候条件、潜水埋深、包气带岩性和作物生长情况。根据长期的资料,通过经验公式进行计算。

(6)地下水开采。是地下水排泄的主要因素。

2.2.3 灌区用水量

灌区内供水对象主要是:农业灌溉用水、农村人畜用水、乡镇企业和乡镇生活用水以及城市工业生活用水。灌区用水除尽量利用天然降雨外,还可利用引黄水、地下水。应该合理调配渠井的用水比例,以达到调节地下水位的目的,使其不能过高也不得过低。

2.2.3.1 农业灌溉用水

人民胜利渠灌区共有耕地 9.92 万 hm^2,灌区内农业种植结构:夏作以小麦、油菜为代表,分别占耕地的 60%、25%;早秋以棉花为代表,占耕地面积的15%;晚秋作物以水稻、玉米、花生为代表,分别占耕地面积的12%、28%、45%。全灌区复播指数1.85。

灌溉制度是指作物播种前及其生育期内的灌水次数、时间及灌水定额。其主要决定于灌溉水源、作物需水规律、降雨时空分布及地下水利用等因素。通过分析灌区运行近五十年来的试验资料和科研成果,根据典型年作物需水、降雨、地下水及产量指标等制定灌溉制度,见表2-10。

根据表2-10,综合各种作物各月需水量加权平均,即可得出

表2-10 人民胜利渠引黄灌区主要作物灌溉制度($P=50\%$)

作物	种植比例(%)	灌水次数	灌水时间(月-日)	灌水天数(天)	生育阶段	灌水定额(m^3/hm^2)
小麦	60	3	11-21~11-30	10	越冬	675
			03-22~03-31	10	拔节	675
			05-16~05-25	10	灌浆	675
玉米	28	1	08-01~08-09	9	抽雄	525
棉花	15	2	06-01~06-09	9	蕾期	525
			07-20~07-28	9	花铃	525
油菜	25	2	02-20~02-28	9	蕾苔	525
			04-01~04-10	10	花期	525
花生	45	1	07-05~07-13	9	花针	525
水稻	12	7	06-05~06-14	10	泡田	1800
			06-21~06-28	9	返青	975
			07-05~07-25	20	分蘖	975
			08-01~08-08	8	拔节孕穗	1125
			08-22~08-31	10	抽穗开花	1125
			09-08~09-15	8	灌浆	975
			09-20~09-30	11	乳熟	525

该灌溉制度下全灌区各月需灌水总量。见表2－11。

表2－11　各月作物需灌水量　　（单位:mm）

月　份	10	11	12	1	2	3	4	5	6	7	8	9	合　计
需灌水量		40.5			13.1	40.5	13.1	40.5	41.1	43.0	41.6	18.0	291.4

2.2.3.2　新乡市生活用水

人民胜利渠灌区还担负着新乡市的城市供水任务。新乡市位于灌区北部边缘,其水源不完全靠灌区供给。根据新乡市的城市发展规划,到2015年的城市供水量将达1.2亿m^3,为尽量保证城市的发展,其供水量按100%供给,不再减少。

2.2.3.3　乡镇企业及生活用水

目前灌区内的乡镇企业用水0.49亿m^3,按乡镇企业用水量每年5%增长,可算出到2015年的用水量为0.97亿m^3。乡镇生活用水目前为0.36亿m^3,由于其人口数量增长较快,用水量可按年增长10%计算,到2015年的用水量为1.37亿m^3。

2.2.3.4　农村人畜用水

灌区内现有人口为94.4万,其用水量0.17亿m^3,虽然人口数量在减少,但人均年用水量不断增加,其用水量可按年增长2%计算,到2015年的用水量为0.22亿m^3。牲畜用水目前为0.51亿m^3,其用水按牲畜增加每年增长4%计算,到2015年的用水量为0.88亿m^3。

2.2.3.5　生态用水

为了维持灌区内生态系统稳定和环境保持良性动态平衡,需考虑部分生态用水,其确切的需水量正处于探讨阶段,灌区可按每年0.1亿m^3计算。

2.2.3.6　地表水排泄量

灌区地表水出流主要有东孟姜女河、西孟姜女河以及三号跌水下。三者排出的水主要是降雨形成的径流和弃水，是可以充分利用的水量。经过试验观测以及收集资料，三者每年的排水量达1.48亿 m^3。此部分水量是可利用的水量，在必要时可尽可能地利用一部分。具体数据如表2－12。

表2－12　灌区内近几年的地表径流情况　（单位：亿 m^3）

年份	西孟姜女河	东孟姜女河	三号跌水下	总量
1983	0.622 0	0.152 8	0.173 0	0.947 8
1984	0.508 2	0.226 3	0.424 0	1.158 5
1985	0.835 5	0.228 2	0.155 0	1.218 7
1986	0.575 3	0.196 5	0.731 0	1.502 8
1987	0.508 9	0.196 1	2.039 0	2.744 0
1988	0.700 5	0.095 6	1.508 0	2.304 1
1989	0.617 7	0.105 2	0.855 0	1.577 9
1990	0.665 7	0.308 1	0.505 0	1.478 8
1991	0.647 0	0.256 6	0.371 0	1.274 6
1992	0.658 4	0.358 3	0.636 7	1.653 4
1993	0.789 3	0.379 8	0.359 6	1.528 7
1994	0.829 1	0.220 6	0.528 8	1.578 5
1995	0.718 9	0.217 9	0.275 7	1.212 5
1996	0.932 4	0.205 6	0.153 8	1.291 8
1997	0.443 0	0.071 3	0.240 0	0.754 3
平均	0.670 1	0.214 6	0.597 0	1.481 8

2.2.4 降雨量及蒸发量的分析预报

降雨是地球上的一种物理现象,它不仅受其他地球物理因子变化的影响,而且与外层空间诸宇宙因素的变化相联系。这些变化和联系,突出表现在日地关系、纬度影响、海陆分布及地形以及大气环流影响等四个方面,因此,降雨在时间和空间上有两个明显的特点:一个是降雨变化有周期性;另一个是降雨分布有区域性。这两个特点是能够利用周期分析方法,开展长期降雨预报的基础。降雨是地球上的一种物理现象,无疑它也要受到日地、月地关系的影响。在每一个年度内,它都存在雨季和旱季的交替,尽管每年雨季的降雨量有所不同,但变化是有周期性,因此,我们才有可能利用周期分析的方法,开展降雨的长期预报。

一般认为,水文系列 R_t 是由暂态成分(趋势成分等)T_t,周期成分 P_t、随机相依成分 η_t 和纯随机成分 ε_t 组成,于是年降雨量序列可用线性模型的形式表示如下:

$$R_t = T_t + P_t + \eta_t + \varepsilon_t$$

其中,$\eta_t + \varepsilon_t$ 为随机成分。

2.2.4.1 趋势成分的识别与提取

识别随机系列中的趋势成分用 kendall 秩次相关检验法。具体方法为:

对于系列 $X_1, X_2, \cdots, X_N$,先确定所有对偶值($X_i, Y_j, j > i$)中 $X_i < Y_j$ 的出现个数 P,如果这种对偶的最大可能个数在连续增加的系列中出现,这是一种上升趋势,其中按顺序前进的值全部大于前一个值,P 为 $(N-1)+(N-2)+\cdots+1$,是等差级数,则总和为 $N(N-1)/2$。如果全部倒过来,则 $P=0$,即为下降趋势。由此可知,对无趋势的系列,$E(P)=N(N-1)/2$。此时,检验统计量 M 当 N 增加时,很快收敛与标准化的正态分布。

$$M = \frac{\tau}{[Var(\tau)]^{1/2}}$$

式中：

$$Var(\tau)=\frac{2(2N+5)}{9N(N-1)}$$

$$\tau=\frac{4P}{N(N-1)}-1$$

在给定显著水平之后，可检验系列中有无趋势成分。查标准正态分布表，可得到 M_a 值。

当 $-M_a<M<M_a$ 时，判定原系列无趋势成分，否则判定原系列有趋势成分。若原系列存在趋势成分，可用多项式来拟合趋势成分。

经过分析可知，降雨量不存在趋势成分。

2.2.4.2　周期成分的分析及提取

周期分析是由一系列相当繁杂的数学演算组成的。为了判别某事物究竟存在几年的变化周期，简单的做法可以通过周期排列和周期显著性两个步骤来判断：

(1)周期排列：周期排列是周期分析的基础。由于事物的性质不同，周期排列可有多种。就年降雨量来说，2 年、3 年、4 年、5 年、7 年、11 年六种是基本排列周期。把多年的降雨资料按每行分别为 2 个、3 个、4 个、5 个、7 个、11 个进行排列，其数据分别为 y_1、y_2、y_3、…、y_n 排列。周期排列，要严格遵守时间顺序，一行一行，依次排列。当遇到观测资料有缺测时，排列中应将缺测的资料，按时间顺序在相当的位置空出来，缺资料的年份，在排列中也应占一格，以保持时间的连续性。在计算列的平均数时，以实有资料为准，空格不参加均数计算。

(2)周期显著性判断：某事物变化是否有周期性，我们可以这样来描述，若某事物变化是有周期性的，即把该事物过去每年的变化数字按时间顺序分行加以循环排列，在排列中就会出现所有的大数字出现在一列、小数字分布在另一列。若该事物变化是没有周期性的，则大数字和小数字在排列中是错乱的，纯属偶然的组合。同理，大数字列与小数字列的平均值之差愈大，即其周期性愈显著，相反，即其周期性不显著。如人民胜利渠灌区有1953～2000年共48年的降雨量观测资料，经过周期排列，可以得到2年、3年、4年、5年、7年和11年六种基本周期排列表，每种表中都有每一列数字的总和及平均值，表2－13为周期为7的排列：

表2－13　年降雨量周期为7的排列　　（单位：mm）

行＼列	Ⅰ	Ⅱ	Ⅲ	Ⅳ	Ⅴ	Ⅵ	Ⅶ
1	633.0	648.0	878.3	632.9	705.8	521.7	430.1
2	533.8	613.2	849.5	933.8	398.7	355.6	545.7
3	483.1	643.2	634.6	490.9	728.4	607.8	567.9
4	617.6	482.1	742.1	386.3	499.3	394.6	376.4
5	468.0	631.4	492.4	451.9	345.0	447.0	521.0
6	569.5	783.6	510.1	420.0	750.6	652.0	707.5
7	392.9	568.1	277.7	540.1	553.0	606.2	
平均	528.3	624.2	626.4	550.8	568.7	512.1	524.8

注：最大为626.4mm，最小为512.1mm，差值114.3mm。

同理可以求得2年、3年、4年、5年和11年各种周期的最大差值。比较各种周期的最大差值（见表2－14），可看出11年的差值最大，即认为在该气象站所代表的地区范围内，年降雨量服从11年周期的变化。因此，通过显著性判断，用11年周期排列表来进行降雨预报是恰当的。

周期成分可用傅立叶级数展开如下：

$$Y_{(t)} = a_0 + \sum_{i=1}^{k}\left(a_i \cos\frac{2\pi it}{P} + b_i \sin\frac{2\pi it}{P}\right) \qquad (2-1)$$

表 2-14　降雨量周期分析　（单位:mm）

周　期	最　大	最　小	差　值
2 年	578.8	547.2	31.6
3 年	582.2	540.5	41.7
4 年	584.1	535.2	48.9
5 年	605.3	497.1	108.2
7 年	626.4	512.1	114.3
11 年	636.4	447.7	188.7

式中:P 为变化周期长度,$P=11$;i 为谐波号码;k 为有效谐波数,$1\leqslant k<N/2$;a_0,a_i,b_i 为傅立叶系数,可用下述公式计算

$$\left.\begin{aligned}a_0&=\frac{1}{N}\sum_{t=1}^{N}[Y(t)]\\a_1&=\frac{2}{N}\sum_{t=1}^{N}\left[Y(t)\cdot\cos\frac{2\pi it}{P}\right]\\b_1&=\frac{2}{N}\sum_{t=1}^{N}\left[Y(t)\cdot\sin\frac{2\pi it}{P}\right]\end{aligned}\right\}\tag{2-2}$$

$$(i=1,2,\cdots,k)$$

为了确定有效谐波数 k,以上经过周期性检验确定 P,确定了有效谐波数 $k=4$;通过对降雨量的分析得出傅立叶系数分别为:$a_0=563,a_1=-49.8,b_1=83.7,a_2=51.5,b_2=-44.5$。

在确定完以上系数后,把这些数代入式(2-1)进行计算,即可得出降雨量的周期成分 P_t

$$\begin{aligned}P_t=&563-49.8\times\cos(2\pi t/11)+83.7\times\sin(2\pi t/11)\\&+51.5\times\cos(4\pi t/11)-44.5\times\sin(4\pi t/11)\end{aligned}\tag{2-3}$$

2.2.4.3　随机成分分析

降雨系列随机相依成分 η_t 不显著,纯随机成分 ε_t 为均值为

零、方差为1的纯随机变量，在进行降雨量预报时，常取：

$$R_t = P_t + \varepsilon_t = P_t$$

因此，降雨量可用公式(2-3)直接计算预报。

2.2.4.4 降雨量、蒸发量的年内分配

通过周期分析，确定了预报年的降雨量以后，还需要将降雨量进行年内分配。考虑到年降雨量的大小与年内分配的形式有一定的关系，因此，先采用频率分析的方法，确定不同频率下所代表水文年及其雨量值范围(见表2-15)。

表2-15 不同频率降雨量值

频率(%)	代表水文年	雨量值范围(mm)
10.0	多雨年	>700.0
25.0	湿润年	600.0~700.0
50.0	平均年	500.0~600.0
75.0	中旱年	400.0~500.0
90.0	干旱年	300.0~400.0

然后，再选定频率的相应年份，取前后三年的实际降雨量资料，算出月降雨量占年降雨量的千分比，算出三年平均值，再乘以预报降雨量，即得出预报年的各月雨量。

2.2.4.5 降雨量预报检验

1998年忠义气象站实测降雨量为540.1mm，与预报降雨量550.3mm仅差10.2mm，误差不到2%。1999年实测降雨量为553.0mm，与预报降雨量613.9mm差60.9mm，误差10%。可见降雨量的预报还是比较可靠的。

根据灌区内忠义站长期观测资料，取出预报年所属的水文年最近3年资料，计算其平均值所占年度降雨量的千分比，再用千分比乘以该年度预报水量，即得出预报年的各月降雨量(见表2-16)。

表 2 - 16　2001 ~ 2016 年的各月降雨量预报值

（单位:mm）

月份＼年份	2001	2002	2003	2004	2005	2006	2007	2008	2009	2010	2011	2012	2013	2014	2015	2016
1	0.1	4.7	10.6	9.3	10.2	0.3	0.3	0.3	0.3	4.7	5.3	0.1	4.7	10.6	9.3	10.2
2	0.1	5.0	13.8	12.2	13.3	2.1	2.2	2.1	2.2	5.0	5.7	0.1	5.0	13.8	12.2	13.3
3	19.6	11.3	71.2	62.6	68.3	33.1	34.8	33.8	33.9	11.4	12.8	19.6	11.3	71.3	62.6	68.2
4	43.3	38.7	24.9	21.9	23.9	38.7	40.7	39.5	39.7	39.0	44.0	43.4	38.8	24.9	21.9	23.9
5	51.8	17.0	85.1	74.9	81.7	67.8	71.4	69.3	69.6	17.1	19.3	51.8	17.0	85.2	74.9	81.6
6	55.1	128.8	25.5	22.4	24.4	52.9	55.7	54.0	54.3	129.6	146.5	55.1	128.9	25.5	22.4	24.4
7	225.4	190.3	105.4	92.7	101.1	118.9	125.2	121.5	122.0	191.5	216.5	225.5	190.6	105.5	92.7	101.0
8	205.8	38.4	58.0	51.0	55.7	150.0	158.1	153.3	153.9	38.7	43.7	205.9	38.5	58.1	51.0	55.7
9	45.0	78.4	57.1	50.2	54.8	46.8	49.3	47.8	48.0	78.9	89.2	45.0	78.5	57.2	50.2	54.8
10	32.9	55.7	3.1	2.7	3.0	22.8	24.1	23.3	23.4	56.1	63.4	32.9	55.8	3.1	2.7	3.0
11	14.1	40.8	25.9	22.8	24.9	2.6	2.7	2.6	2.6	41.1	46.4	14.1	40.8	25.9	22.8	24.8
12	9.6	0.6	3.1	2.7	3.0	0.1	0.1	0.1	0.1	0.6	0.7	9.6	0.6	3.1	2.7	3.0
合计	702.9	609.7	483.7	425.4	464.2	536.1	564.8	547.8	550.1	613.5	693.6	703.2	610.4	484.3	425.4	463.8

2.2.4.6　蒸发量预报

为了进行水量平衡分析及地下水位预报的需要，除了预报降雨量外，还需预报蒸发量。一般情况下，蒸发与降雨量有密切的关系。降雨期间，空气湿度大，蒸发相应减小。通过分析忠义气象站48 年的年降雨量和年蒸发量资料，得到如下回归方程，即：

$$E = 2\,085.7 - 0.857y$$

式中：E 为一年蒸发量，mm；y 为一年降雨量，mm。

有了这个回归方程，只要预报出未来一年的降雨量，就可以计算出未来一年的蒸发量。由此预报出 2001 ~ 2016 年的降雨量及蒸发量（见表 2－17）。

表 2－17　2001 ~ 2016 年的降雨量及蒸发量预报值　（单位：mm）

年份	降雨量	蒸发量	年份	降雨量	蒸发量
2001	702.9	1 687.2	2009	550.1	1 563.9
2002	609.7	1 625.6	2010	613.5	1 671.8
2003	483.7	1 601.7	2011	693.9	1 721.2
2004	425.4	1 616.4	2012	703.2	1 687.5
2005	464.2	1 613.9	2013	610.4	1 625.9
2006	536.1	1 559.0	2014	484.3	1 601.7
2007	564.8	1 490.4	2015	425.4	1 616.3
2008	547.8	1 483.6	2016	463.8	1 614.1

2.2.5　水量平衡分析

根据以上分析，通过计算全灌区内的来水及耗水量，进行水量的平衡分析。灌区内的横向越流补给及河道侧渗补给基本平衡，可以不计算。水量平衡计算结果见表 2－18。由此可见，到 2015 年的来水将不能满足总耗水量，可以尽量多地利用当地地面径流，节约利用水资源及利用城镇生活污水等，以得到水量平衡。

表 2－18　水量平衡计算

（单位：亿 m^3）

年　份	2001	2002	2003	2004	2005	2006	2007	2008	2009	2010	2011	2012	2013	2014	2015
新乡市供水	0.60	0.63	0.66	0.69	0.73	0.77	0.80	0.84	0.89	0.93	0.98	1.03	1.08	1.13	1.19
乡镇企业耗水	0.49	0.51	0.54	0.57	0.60	0.63	0.66	0.69	0.72	0.76	0.80	0.84	0.88	0.92	0.97
乡镇生活用水	0.036	0.040	0.044	0.048	0.053	0.058	0.064	0.070	0.077	0.085	0.093	0.103	0.113	0.124	0.137
农村生活用水	0.17	0.17	0.18	0.18	0.18	0.19	0.19	0.20	0.20	0.20	0.21	0.21	0.22	0.22	0.22
农村牲畜用水	0.051	0.053	0.055	0.057	0.060	0.062	0.065	0.067	0.070	0.073	0.075	0.079	0.082	0.085	0.088
水面蒸发耗水	1.04	1.06	1.10	1.10	1.04	0.98	0.93	0.91	0.88	0.83	0.77	0.74	0.76	0.79	0.79
作物耗水量	7.12	7.12	7.12	7.12	7.12	7.12	7.12	7.12	7.12	7.12	7.12	7.12	7.12	7.12	7.12
生态需水量	0.10	0.10	0.10	0.10	0.10	0.10	0.10	0.10	0.10	0.10	0.10	0.10	0.10	0.10	0.10
地表出流量	1.48	1.41	1.34	1.27	1.21	1.15	1.09	1.03	0.98	0.93	0.89	0.84	0.80	0.76	0.72
用水小计	11.08	11.10	11.13	11.13	11.09	11.04	11.02	11.03	11.04	11.03	11.03	11.06	11.15	11.25	11.33
降雨量	7.32	6.35	5.04	4.43	4.83	5.58	5.88	5.70	5.73	6.39	7.22	7.32	6.36	5.04	4.43
引黄水量	5.37	5.37	5.37	5.37	5.37	5.37	5.37	5.37	5.37	5.37	5.37	5.37	5.37	5.37	5.37
总来水－总用水	1.60	0.62	－0.73	－1.34	－0.89	－0.09	0.23	0.04	0.06	0.72	1.57	1.63	0.58	－0.84	－1.54

2.2.6 地下水平均埋深预报

根据地下水位的变化因素，通过对降雨量、蒸发量、开采量进行分月计算，从而预报出2001～2015年的年平均地下水埋深。

2.2.6.1 降雨入渗补给量的确定

降雨入渗补给量是次降雨量通过入渗补给潜水含水层的水量。其补给量的大小受很多因素影响，主要是地形岩性及地下水埋深及次降雨量等。灌区属于垂直入渗型。

取灌区降雨入渗量的经验公式：

$$P_r = 0.7P\alpha$$

式中：P 为时段内的降雨量，用月降雨量；0.7为经验换算系数；α 为降雨入渗补给系数，根据以前资料换算后见表2－19。

表2－19　不同埋深不同降雨的 α 取值

地下水埋深									
<1.0m		1.0～2.0m		2.0～3.0m		3.0～4.0m		>4.0m	
0.7P	α	0.7P	α	0.7P	α	0.7P	α	0.7P	α
10	0.10	16	0.07	41	0.16	40	0.03	80	0.015
17	0.21	30	0.18	58	0.23	64	0.10	108	0.065
23	0.32	43	0.25	76	0.26	90	0.15	132	0.106
30	0.37	56	0.29	91	0.29	115	0.18	157	0.135
35	0.42	70	0.31	106	0.31	133	0.20	175	0.16
40	0.46	80	0.34	120	0.33	152	0.23	191	0.18
45	0.56	90	0.36	130	0.36	164	0.26	204	0.20
		100	0.38	140	0.39	176	0.27	227	0.25
		110	0.42	150	0.43	187	0.29	238	0.26
		120	0.46	160	0.47	198	0.31	249	0.28

2.2.6.2　河道侧渗补给量的计算

计算灌区内河道通过垂直或侧向渗透补给地下水的水量。人民胜利渠灌区主要考虑灌区内的卫河、共产主义渠及孟姜女河的侧渗补给。可采用地下水稳定流计算法进行计算,计算结果见表2－20。

表2－20　灌区河道侧渗计算

河　渠	水力坡度	径流边界（m）	渗透系数（m/d）	厚　度（m）	时　间（d）	侧渗量（亿 m^3）
共产主义渠	0.228	500	0.25	6.5	365	0.083
孟姜女河	0.032	14 000	0.18	6.2	365	0.182
卫河一	0.041	12 000	0.18	5.5	365	0.118
卫河二	0.041	20 000	0.12	5.5	365	0.197
合　计						0.580

2.2.6.3　渠灌入渗量的确定

引水渠的水位高于地下水位,渠道水通过土壤渗透进入地下水。引黄灌溉计算干、支、斗渠的入渗量。对于井灌,由于渠系较短,入渗补给量很小,可忽略不计。入渗量的计算利用灌区经验公式:

$$I_r = I \cdot \beta$$

式中:I_r 为时段内的渠灌入渗量;I 为引黄水量;β 为渠灌入渗补给系数,见表2－21。

表2－21　渠灌入渗补给系数

地下水埋深	<1.0m	1.0m～2.0m	2.0m～3.0m	3.0m～4.0m	>4.0m
β 值	0.6	0.5	0.4	0.3	0.2

2.2.6.4 灌溉回归水补给

人民胜利渠灌区为减少水量损失,使用小灌水定额,基本杜绝了渗漏,可不予计算。

2.2.6.5 潜水蒸发

潜水蒸发是地下水排泄最主要的因素,蒸发量的大小主要取决于气候条件、潜水埋深、包气带岩性和作物生长情况。根据经验公式进行计算:

$$E_v = E_0(1 - D/D_0)^n$$

式中:E_v 为 潜水蒸发量,mm;E_0 为水面蒸发量,mm;D 为时段内地下水位平均值;D_0 为极限蒸发深度,人民胜利渠灌区取3.5m。

2.2.6.6 地下水开采

地下水的开采是指灌区井灌需水量。

2.2.6.7 模型的建立

根据地下水平衡方程原理公式来建立渠井结合的用水管理模型。其实质就是确定渠井灌水的适宜比例。模型综合考虑了井灌抽取地下水、渠灌入渗补给、降雨入渗补给及潜水蒸发等因素。模型如下:

$$\Delta H = D_i - D_{i+1} = \Delta H_P + \Delta H_{渠} + \Delta H_{河侧} - \Delta H_{井} - \Delta H_E$$

$$D_{i+1} = D_i - \Delta H_P - \Delta H_{河侧} - \Delta H_{渠} + \Delta H_{井} + \Delta H_E$$

式中:ΔH 为时段内的地下水位变化,m;D_i 为时段初的地下水位,m;D_{i+1}为时段末的地下水位,m;ΔH_P 为时段内降雨入渗引起的地下水位上升,m,$\Delta H_P = P_r/(1\ 000\mu) = 0.7P\alpha/(1\ 000\mu)$,$\mu$ 为该区土壤给水度,全灌区平均为0.060;$\Delta H_{渠}$ 为时段内渠灌入渗引起地下水位上升,m,$\Delta H_{渠} = I_r/(1\ 000\mu) = I_{渠}\ \beta/(1\ 000\mu)$;$\Delta H_{河侧}$为时段内河道侧渗引起的地下水位上升,m,$\Delta H_{河侧} = I_{河侧}/(1\ 000\mu)$;$\Delta H_{井}$ 为时段内井灌引起的地下水位下降,m,$\Delta H_{井} = I_{井}/(1\ 000\mu)$,$I_{井}$ 为时段内井灌灌水总量,mm;ΔH_E 为时段内潜水蒸发引起的地下水位下降,m,$\Delta H_E = E_v/(1\ 000\mu)$,$E_v$ 为潜水蒸发量,mm。

所以：

$$D_{i+1}=D_i-(0.7P\alpha+I_{渠}\beta+I_{河侧}-I_{井}-E_v)/(1\,000\mu)$$

2.2.6.8 计算实例

举例：采用2001年的地下水位计算。

(1)预报各月的降雨、水面蒸发量。

(2)根据时段初的地下水位埋深，以确定α、β。

(3)根据时段初的地下水位，拟定一个井渠用水比例η值

$$\eta=Q_{井}/(Q_{井}+Q_{渠})$$

则
$$Q_{井}=\eta(Q_{井}+Q_{渠})$$

一般，当$D_i<2$m时，$\eta=0.28$；

当$2\text{m}<D_i<4$m时，$\eta=0.24$；

当$D_i>4$m时，$\eta=0.20$。

计算结果见表2－22，年平均地下水埋深为3.90m。

表2－22 2001年各月地下水埋深预报

月份	1	2	3	4	5	6	7	8	9	10	11	12	合计
P	0.1	0.1	19.6	43.3	51.8	55.1	225.4	205.8	45.0	32.9	14.1	9.6	702.9
$I_{河侧}$	0.05	0.05	0.05	0.05	0.05	0.05	0.05	0.05	0.05	0.05	0.05	0.05	0.580
E_0	91.9	63.3	57.0	66.4	48.2	98.1	153.1	203.5	245.3	204.9	134.9	116.4	1483
坑塘E_0	4.32	2.98	2.68	3.12	2.26	4.61	7.20	9.57	11.53	9.63	6.34	5.47	
E_v	0	0	0	0	0	0	0	0	2.76	0	0	0	
D_i	3.97	4.04	4.09	4.14	4.19	4.23	4.32	3.63	3.17	3.39	3.52	3.63	
α	0	0	0	0	0	0	0.205	0.173	0	0	0	0	
β	0.20	0.20	0.20	0.20	0.20	0.20	0.24	0.24	0.24	0.24	0.24	0.24	
η	0.28	0.28	0.28	0.28	0.28	0.28	0.28	0.28	0.28	0.28	0.28	0.28	
$I_{总}$	0	13.10	0	0	13.10	40.50	66.80	40.50	41.20	43.20	0	18.00	276.4
$I_{渠}$	0	17.11	0	0	17.11	52.89	87.20	52.89	53.80	56.42	0	23.51	360.9
$I_{井}$	0	3.67	0	0	3.67	11.34	18.70	11.34	11.54	12.10	0	5.04	
D_{i+1}	4.04	4.09	4.14	4.19	4.23	4.32	3.63	3.17	3.39	3.52	3.63	3.71	

根据计算结果,调整 η 值。如时段末地下水埋深小于 1 m 时,可加大 η 值,也可直接取 $\eta=1$;当地下水埋深大于 5 m 时,应减小 η 值,可取 $\eta=0$;当地下水埋深为 2 m 至 5 m 时,即可用假定的比例。

同样可以预报出 2001 ~ 2016 年的地下水年均埋深。其结果见表 2 - 23。

表 2 - 23　2001 ~ 2016 年地下水年均埋深

年份	2001	2002	2003	2004	2005	2006	2007	2008
年均埋深	3.91	3.87	4.12	4.56	4.97	5.18	5.06	5.01
年份	2009	2010	2011	2012	2013	2014	2015	2016
年均埋深	4.86	4.58	4.16	3.82	3.67	4.15	4.98	4.81

综上分析,人民胜利渠灌区到 2015 年水量可维持基本平衡,但还需充分利用降雨量,减少灌区内地面径流,并注重节约用水。

第三章 井渠结合型式与布局

3.1 井渠结合发展过程

人民胜利渠灌区在和旱、涝、碱的长期斗争中，经过反复实践，历经“兴渠废井”—“兴井废渠”—“井渠结合”的曲折过程，逐步形成了井渠结合、地上水与地下水联合运用的灌溉模式。

新中国成立初期，灌区内也分布着为数不少的大口浅井，这些井都是人工开挖的，一般井深只有6～8m，出水量7～8m^3/h，在当时对抗旱起到了一定的作用。1951年兴建人民胜利渠时，没有考虑这些井的存废问题，再加上井的灌溉效率根本无法和渠灌相比，灌区开灌后，这些井自然就销声匿迹了，仅在农民的菜园内或村里有幸保存一些。

1958年以后，由于认识上的错误，实行大引、大蓄、大灌的方针，无节制地引用黄河水，使灌区水量平衡严重失调，地下水位急剧上升。1961年平均地下水埋深只有1.31m，土壤次生盐碱化迅速发展。群众一古脑儿地认为是渠灌带来了盐碱，因此从上到下兴起了“废渠风”，成千上万公顷引黄灌溉工程被毁，全灌区只保留了1.6万hm^2的渠灌设施，实行严格控制灌溉。恰在此时，机井技术大发展，试制成功了大锅锥，研制出了无砂混凝土井管，以及滤料技术的进步等。这些技术的推广应用，使灌区井灌迅速发展。

1962年以后，为了防治土壤盐碱化，灌区和有关单位研究土壤盐碱化与地下水的关系，总结经验教训，克服重灌轻排的思想，严格控制引黄水量，疏浚排水河道。从1964年开始，大量建造机井，提取地下水灌溉，使地下水位控制在临界深度以下。到1965年，次生盐碱化基本得到治理。井灌同时发挥竖井排水作用，对控制地下水位上升产生了良好的效果，但遇到持续干旱，地下水位急剧下降，机井出水量减少或抽不出水，又产生了恢复渠灌的要求，平掉的渠道又恢复了。从此灌区走上了灌排配套、井渠结合的道路。

3.2 井渠结合现状与存在的问题

人民胜利渠灌区井渠结合、地上水地下水联合运用，是在和旱、涝、碱的长期斗争中逐步形成的，并非井渠工程统一规划、建设的井渠结合灌区，其井渠结合还处在自由结合的层次上。井灌系统缺乏统一规划，由乡、村和群众自建自管；渠灌系统虽然统一规划，由专业管理机构统管，但最初是作为渠灌区规划设计施工的，在以后的规划中也没有充分考虑与井灌的结合。

灌区渠灌工程系统除骨干工程较好外，面上配套工程较差。相比较而言，灌区上游配套工程比下游好一点。灌区农业灌溉用机井井深一般为30~40m，基本上为无砂混凝土管井，口径50~70cm，机井出水量古黄河漫滩区大于古黄河背河洼地地区，古黄河背河洼地地区大于卫河淤积区，总的趋势是自灌区东南部向西北部递减，在降深3~5m的情况下，单井出水量由120~160m^3/h降到40~80m^3/h。机井的分布，在灌区上游及渠灌用水方便的地区密度较小，每千公顷耕地120~135眼；灌区中游密度较大，每千公顷耕地165~180眼；灌区下游多为井灌为主，渠灌补源，机井密度大。灌溉用水量的大小主要取决于生产条件的好坏与生产水平的高低，生产水平高的地区总用水量明显大于生产水平低的地区。1983年曾对灌区井、渠灌溉用水量进行过调查，调查结果见表3-1。地下水开采强度，灌区上游及渠灌用水方便的地区明显低于灌区下游和渠灌用水不方便的地区。

由于工程情况的差别和用水的不同，灌区地下水位差别极为明显。灌区上游渠灌用水方便，渠灌用水比例高，地下水开发利用

表3-1　灌溉用水量调查表

调查地点		灌溉类型	耕地面积（hm^2）	农用机井			灌溉用水量（万 m^3）			平均灌水量（cm）
乡镇	村庄			总井数（眼）	配套数（眼）	配套率（%）	渠灌	井灌	合计	
七里营	陈庄	井灌渠补	73.3	12	12	100	0	29.0	29.0	39.5
七里营	夏庄	井灌渠补	162.7	32	25	78	0	60.4	60.4	37.1
七里营	南位庄	井灌渠补	126.7	19	19	100	0	53.3	53.3	42.1
七里营	大兴	井灌渠补	112.5	13	13	100	0	37.3	37.3	33.2
柳庄	柳庄	井灌渠补	145.4	30	30	100	0	56.9	56.9	39.1
孙杏村	张村	井灌渠补	82.5	4	3	75	0	29.3	29.3	35.5
太山	沙窝营	井灌渠补	300	48	48	100	0	160.0	160.0	53.5
翟坡	西营	井灌渠补	220	42	30	75	0	57.0	57.0	25.9
小计/平均		井灌渠补	1223	200	180	90	0	483.2	483.2	39.5
何营	王庄	井渠双灌	333.3	28	15	54	80.0	16.4	96.4	28.9
亢村	夹河	井渠双灌	176.7	28	18	64	82.4	16.9	99.3	56.2
关堤	陈庄	井渠双灌	89.9	14	6	43	20.7	0	20.7	23.0
洪门	李村	井渠双灌	260	21	5	24	37.5	6.9	44.4	17.1
小店	刘景屯	井渠双灌	178.9	21	19	90	30.2	16.0	46.2	25.8
李源屯	潘杨庄	井渠双灌	75.2	23	20	87	3.8	19.1	22.9	30.5
丁村	陈孝	井渠双灌	243.3	29	18	62	35.7	0	35.7	14.7
冯庄	野厂	井渠双灌	164	39	26	67	64.2	3.8	68.0	41.5
太山	罗棋营	井渠双灌	133.3	18	8	44	50.8	0	50.8	38.1
冯庄	杨刘庄	井渠双灌	92.8	28	28	100	3.8	32.1	35.9	38.7
大召营	中召	井渠双灌	224.7	28	13	46	16.8	56.7	73.5	32.7
照镜	西仓	井渠双灌	194	41	25	61	42.0	25.4	67.4	34.7
小计/平均		井渠双灌	2166.2	318	201	63	467.9	193.3	661.2	30.5

程度低，地下水位偏高，地下水蒸发损耗大，不仅浪费了宝贵的水源，还潜伏着次生盐碱化威胁；灌区下游，渠灌用水不方便，主要靠井灌，地下水超量开采，形成地下水漏斗，不仅使灌溉提水成本增加，对环境也存在不利影响。

3.3 井渠结合型式与布局

3.3.1 井渠结合型式

总结以往各地井渠结合的经验,结合人民胜利渠灌区现状,像人民胜利渠灌区这样一个渠灌以自流引黄灌溉为主的大型井渠结合引黄灌区,井渠结合包含两层含义:一是为了弥补引黄水量的不足和供水不及时,提高灌溉保证率,在规划的渠灌区范围内不仅有渠灌工程系统,同时要建设井灌工程系统,实行井渠双灌;二是井渠双灌区周边的井灌区和井渠双灌区内呈孤岛状的井灌区以井灌为主,但在水源上由于受邻近井渠双灌区地下水补给,为引黄灌溉的间接受益区。换个角度讲,就是人民胜利渠灌区总的用水模式是井渠结合地上水地下水联合运用,以渠灌补充井灌水源之不足,以井灌补充渠灌之不及时。在具体灌溉工程系统规划上,则是在井渠结合模式下,把全灌区划分为直接利用引黄渠灌和井灌的井渠双灌区和以井灌为主通过地下水补给间接受益的井灌区。井渠双灌区和井灌区一起构成一个完整的有双层含义的井渠结合灌区:井渠双灌区与井灌区相间布置,或井渠双灌区呈条带状、两侧安排井灌区。渠灌系统引黄水的分配要求大均匀、小集中,即从整个灌区来讲,引黄渠水分布均匀,各地都能受益;从局部来讲相对集中,在灌区的部分地段修建渠灌系统,实行井渠双灌。这样做,不仅保证灌区不同地段供水均匀,而且工程投资较少。

3.3.2 灌区范围与规模

3.3.2.1 规划设计规模的变化

为适应社会生产发展对黄河水的要求,人民胜利渠灌区灌溉规模不断发展,规划设计面积也在不断变化。1950 年第一期工程规划设计灌溉面积 2.4 万 hm^2,到 1954 年第二期和第三期工程竣工,灌溉面积已达 4.8 万 hm^2。河南省水利厅 1980 年 4 月以豫水总字(80)021 号文批准灌区面积为 5.9 万 hm^2;1984 年 1 月审批年度工程时，以豫水基字124号文批准东一干渠扩大灌溉面积1.1万hm^2；1990年5月又以豫水引黄字(1990年)12号文批准该灌区滑县、延津两县灌溉面积为2.95万hm^2。这样，全灌区批准的规划设计灌溉面积为9.92万hm^2。这里所讲的规划设计灌溉面积实际上指的是渠灌的规划设计面积。若从广义的井渠结合角度来讲，即把灌区周边的井灌区作为灌区的一部分，则实际面积远大于上述规划设计面积。

3.3.2.2 灌区范围与规模的确定

人民胜利渠灌区的试验研究资料相当丰富。在这些资料中对灌区范围的描述还比较一致，但对其规模却有多种说法，十分混乱。这主要是对灌区井渠结合含义的理解不同和灌区规划设计规模与实际规模的差异引起的。有的为狭义的井渠结合，只考虑了井渠双灌区这一部分，没有涉及井渠双灌区以外的井灌区；有的为广义的井渠结合，不仅考虑了井渠双灌区这一部分，还考虑了井渠双灌区周围的井灌区。有的采用的是上级主管部门批准的规划设计规模，有的按灌区实际规模计算。

由于地下水的关系，井渠双灌区和其周边的井灌区密不可分，两者之间的相互影响十分明显。在进行引黄渠灌工程规划时，不仅要考虑井渠双灌区，还要考虑井渠双灌区周边的井灌区，将其作为一个整体、一个有双层含义的广义上的井渠结合灌区来考虑更为合理。在进行灌区范围划分时，既要考虑渠灌系统的控制范围，又要考虑井渠双灌区周边的井灌区，其分界可以是相邻灌区的分界线、道路、行政区界、河流和分水岭等。

综合考虑各种影响，人民胜利渠灌区的范围大致如下：西以武嘉灌区和共产主义渠为界；东以红旗总干渠为邻；北以卫河、南长虹渠为界；南为原阳的师寨、新乡的朗公庙、延津的榆林、滑县的齐庄一线。在此范围内，总土地面积近2 000km^2，其中耕地面积约13万hm^2。

确界工作是一项耗费人力和时间的工作,而且涉及到方方面面,情况复杂。建议在灌区续建配套和节水改造工作中组织实施。由上级主管部门、灌区管理单位、灌区所在地地方政府及有关专家、学者组成确界小组,具体实施这项工作。

灌区的范围要相对稳定,确界工作一旦完成,不要轻易变动,不管灌区内渠灌工程实际控制范围大小,不论是维持现状,还是续建配套与节水改造分期实施期间,灌区范围及总规模均要采用同一种说法,而渠灌工程实际控制面积可以是变化的。

3.3.3 有关渠道防渗问题的讨论

对于井渠结合灌区,渠道要不要采取防渗措施,一直存在两种观点:一种观点认为井渠结合灌区渠道渗漏补给的地下水,通过井灌又被开采利用,补源效果好,不需要采取防渗措施;另一种观点认为渠道经过防渗处理减少输水损失,节水、节能,很有必要采取防渗措施。实际上井渠结合灌区渠道要不要防渗,是一个非常复杂的问题,涉及许多因素,应当综合考虑、统筹兼顾。

3.3.3.1 节水效果

对于渠灌区,采取防渗措施前后灌溉水利用率的变化足以反映防渗措施的节水效果;对于井渠结合灌区,则不仅要考虑渠灌系统的一次利用率,还要考虑井灌系统对渠灌渗漏补给地下水的重复利用率。评价井渠结合灌区渠道防渗的节水效果,可用灌溉系统对灌溉引入水的综合利用率(渠灌引入水的总利用率)来评价。综合利用率等于渠灌系统的一次利用率与井灌系统对渠灌渗漏补给地下水的重复利用率之和。对于井渠结合灌区,即便灌溉渠系全部为土渠,只要工程配套较好,没有退水和跑水现象,综合利用率也比较高。

井灌系统因输水距离短,灌溉水利用率高,为便于分析,假定井灌不产生深层渗漏。这样,井渠结合灌区渠灌渗漏补给的重复利用率可按式(3-1)计算:

$$\eta_{重} = \alpha(1 - \eta_{渠})\eta_{井} \tag{3-1}$$

式中：$\eta_{重}$ 为渠灌水重复利用率；$\eta_{渠}$ 为渠灌水一次利用率；$\eta_{井}$ 为井灌系统灌溉水有效利用率；α 为渠灌地下水有效补给系数。

若取 $\alpha = 0.8$ 和 $\eta_{井} = 0.85$，对于一个渠道为土渠、一次利用率只有 0.5 的井渠结合灌区，渠灌水综合利用率可达 0.84。由此可见，井渠结合灌区，即使不采取防渗措施，灌溉水利用率也比较高。采取防渗措施节水效果不明显，但毕竟土渠断面较大，不仅输水期间水面和渠床周围土体水分蒸发损失大，而且每次灌溉渠床土体总会吸收一部分水分，停灌后蒸发掉，其损失还是要多于衬砌渠道。总的来说，井渠结合灌区渠道衬砌有节水效果，但不明显。单从节水角度来讲，没有必要衬砌。

3.3.3.2 补源效果

渠道衬砌对补源效果的影响则要看补源的目的，对于单纯增加地下水补给、改善生态环境来讲，渠道衬砌则有害无益。对于最终目的是增加有效灌溉水的井渠结合灌区来讲，则要看灌区的具体情况。对于补源区来讲，由于引水时间与灌溉用水时间的不一致，渠道不衬砌渗漏补给量大，在非灌溉时间可以多引水增加地下水蓄存量，以备灌溉时开采使用，从这一点来讲，渠道不衬砌补源效果好；对于自流正常灌区来讲，情况则大不一样，渠道供水时间与灌溉时间一致，渠道衬砌后输水损失减少，灌溉水一次利用率提高，从而增加了渠灌面积，相应减少了井灌面积，也就减少了地下水开采量。这类灌区补源效果的好坏，则要看哪种工程型式节水，最终提供的有效供水多。前面已分析过，渠道衬砌后有一定的节水效果，其补源效果也略好一点，换句话说，对于正常灌区，渠道衬砌对补源有益而无害，但效果不明显。

3.3.3.3 节能效果

井渠结合灌区渠道衬砌节水效果不太明显，节能效果又如何呢？简单分析一下便知，节能效果十分明显。假定衬砌前灌溉水有效利用率为0.5，衬砌后提高到0.8，提高了60%。在渠灌引水量相同的条件下，相应渠灌面积要增加60%：原来渠灌面积占40%，井灌占60%，衬砌后渠灌可占64%，井灌只占36%；原来渠灌面积、井灌面积各占一半的话，衬砌后渠灌可占80%，井灌仅占20%。同样从减少井灌耗水量也能说明这一点。假定井灌灌溉水利用率为0.9，渠灌灌溉水利用率从0.5提高到0.8后，相应减少的井灌提水量为渠灌引水量的1/3。假定灌区年渠灌引水量为3亿m^3，则可减少井灌提水量1亿m^3。井灌能耗按0.1元/m^3计算，则每年可减少能耗费用1 000万元，效果极为显著。

3.3.3.4 其他方面的比较

对于引黄井渠结合灌区，渠道衬砌还有以下优点：

（1）减淤效果明显。人民胜利渠灌区田间渠系经过技术改造后，改善了渠道断面的水力要素，提高了渠道的挟沙能力，将更多的泥沙输送到田间，减少渠道淤积，平均减淤量可达40%以上（见表3－2）。

（2）减少占地。渠道经过衬砌可缩小断面，从而减少占地。据人民胜利渠灌区“七五”攻关灌区综合技术改造研究统计资料，0.41万hm^2技术改造面积共减少占地11.9hm^2，约减少占地0.3%。

（3）提高灌溉效率。渠道经衬砌改造，可大大缩短灌水时间，提高灌溉效率。

（4）便于管理。渠道经过衬砌改造，通过渠床硬化，断面整齐划一，可以减少随意的扒口放水，便于管理。

综上所述，引黄井渠结合灌区，渠道衬砌虽然节水效果不明显，但对于补源也没有不利影响，其节能、减淤效果十分显著，同时具有减少占地、提高灌溉效率、便于管理等作用。

人民胜利渠灌区技术改造研究对田间配套工程技术改造进行的技术经济分析表明，引黄井渠结合灌区渠道衬砌效益显著，以衬砌为主的田间配套工程的技术改造还本年限约 2 年，在经济上也是可行的。以上情况说明，引黄井渠结合灌区渠道衬砌是切实可行的，有条件时要尽量采用。

表 3－2　技术改造减淤效果

乡镇	调查或实测渠道	时间	年平均灌水次数（次）	年平均清淤次数（次）	年平均清淤量（m^3）	年清淤量减少值（m^3）	减淤（%）	
							单项	平均
小冀	一支渠（贾城闸下）	改造前	4.7	2	9 193	2 292	25	41
		改造后	3	2	6 891			
翟坡	田庄支渠	改造前	4.7	4	39 300	14 740	38	
		改造后	3	3	24 560			
小店	二支二分支渠	改造前	4	2	22 500	13 000	58	
		改造后	4	2	9 500			
七里营	十二斗	改造前	4	2	800	269	24	
		改造后	4	2	531			
小冀	五条农渠	改造前	4.7	3	1 834	906	49	
		改造后	3	2.2	928			

3.3.4　井渠结合布局

井灌系统和渠灌系统工程的布局要综合考虑现有工程及运行情况、水文地质条件、灌溉需水要求、水量均衡、续建配套及节水改造工程投资、工程运行费用、是否便于管理等。井灌是灌区的基础，全灌区都要布置井灌工程。在井渠双灌区，井灌工程与渠灌工程构成井渠双灌工程系统，其任务除满足本区灌溉用水外，还要承担向邻近井灌区的补源任务；在井灌区井灌工程自成体系，承担本区的灌溉任务，在水源上接受邻近井渠双灌区的补源。

3.3.4.1 骨干渠系布置

人民胜利渠灌区经过多次规划和数次不同程度的改建、扩建，已形成相当规模的基础产业，构成了相对比较完整的骨干渠系，虽然存在一些问题，但总的布局是合理的。目前，灌区骨干渠系主要由总干渠及西干、东一干、新东一干、东二干、东三干等7条干渠和46条支渠组成，总长472.4km，其中总干渠52.7km、干渠103.0km、支渠316.7km。

总干渠渠首位于灌区西南京广铁路旧黄河桥上游1 500m处，渠线自西南走向东北，在新乡市区入卫河，全长52.7km。西干渠位于灌区西北，现有灌溉面积1.09万hm^2；东一干、新东一干位于灌区西南，灌溉面积1.09万hm^2；东二干位于灌区东北，灌溉面积0.46万hm^2；东三干位于灌区东部，灌溉面积0.84万hm^2。另外，东三干南分干位于灌区东南，现有补水灌溉面积0.90万hm^2。

在人民胜利渠灌区续建配套与节水改造规划中，为便于管理和节水、减淤，对灌区骨干渠系重新进行了规划，骨干渠系渠道断面调整较多，位置变动较少，个别干渠或渠段位置有所变化。这次规划结果比较理想，可作为续建配套与节水改造的方案。

(1)总干渠。总干渠全长52.7km，渠道位置保持不变，部分渠段纵断面有所调整。

(2)西干渠。原西一干与原西三干为两条平行渠道，原西一干在2号跌水闸上游取水，而原西三干在2号跌水闸下游取水，渠道水位相差2.0m以上。由于原西三干渠首水位低，比降小，淤积严重，所以引水困难。规划中将原西一干上段改建为西干渠，下段改建为西干渠一分干；以西孟姜女河为界，将原西三干分为两段：西孟姜女河以北并入西干渠，改建为西干渠二分干；西孟姜女河以南划入东一干渠灌区。

(3)白马干渠。原白马干渠进水闸位于总干渠1号跌水闸上游右岸，通过渡槽跨越总干渠由南向北走向。原友谊支渠进水闸在1号跌水下游左岸取水，渠首水位低，纵比降小，淤积严重，引水困难。为改善原友谊支渠的灌溉条件，将原友谊支渠改建为白马干渠的二支渠，原白马支渠的上段改造成白马干渠，下段改造成白马一支渠。

(4)东一干渠。原东一干渠灌区与原新东一干渠属于两个相邻灌区，原东一干进水闸位于总干渠2号跌水右岸，原新东一干进水闸位于总干渠1号跌水右岸。两进水闸虽相距仅6.99km，但设计水位则相差5.16m，原东一干渠首水位低，淤积严重，输水不畅，不能充分发挥效益。原新东一干渠(原新磁干渠)虽然渠道水位高、条件优越，但目前水量不足，这主要是因为上游段堤防残破，尤以原沉沙池地段右岸无堤、左岸鼠洞纵横，渗漏严重，且时有决口发生。规划中将原东一干和原新东一干合并；原新东一干上段改建成东一干，下段改建成东一干二分干；原东一干改建成东一干一分干。

(5)东二干渠。东二干渠位置不变，只对纵横断面进行调整。

(6)东三干渠。东三干渠位置保持不变，只是向下游又进行延伸，并对纵横断面作了调整。

3.3.4.2 分灌区划分与井渠双灌区比例

在进行灌区续建配套与节水改造时，应根据划定的灌区范围、各干渠的具体位置、行政区划、天然分界线等对骨干渠系及各个骨干渠道的控制范围进行调整与划分，统计各分灌区总灌溉面积。分灌区的划分一般到干渠级，对控制面积较大的分干渠和直接从总干渠上取水的较大的独立的支渠也要单独划分，并进一步将各分灌区划分成两部分：井渠双灌区和以井灌为主、渠水补源的井灌区。

按照新划定的范围，人民胜利渠灌区灌溉面积总规模约13.3万hm^2。井渠双灌区(渠灌可直接灌溉的部分)面积应控制在已批准的规划设计面积9.92万hm^2以内，其比例约占灌区总耕地面积

的70%。各分灌区的比例一般控制在50%～85%之内。在确定井渠双灌区所占比例时应遵循以下原则:

(1)生产水平高、需水量大的地区井渠双灌的比例大,反之比例小;

(2)对已有的田间工程,运行较好的,原则上保留;运行较差的,则根据总体布局重新考虑。

(3)原来渠灌工程较少、地下水埋藏深、供水不足的地区适当增加渠灌。

3.3.4.3　井渠双灌区内工程布置

井渠双灌区内不仅要布置渠灌工程,同时还要有井灌工程系统,渠灌系统与井灌系统一起构成井渠双灌工程系统。

井渠双灌区内面上渠灌配套工程同一般自流灌区一样,但要充分考虑泥沙的影响,采取集中输水灌溉,防止渠道淤积。在进行渠道规划设计时,不仅要考虑渠灌的需要,同时还要考虑其对井灌区的补源任务和区内井灌工程对渠道的利用。对于流量较大的支渠采用梯形断面,流量较小的支渠采用现浇U型混凝土衬砌渠道;有条件的地方,建议斗、农渠全部采用现浇U型混凝土衬砌渠道,如有困难,仍可采用土渠。

井渠双灌区内井灌工程系统与渠灌工程系统共用一套田间工程系统,机井一般沿斗、农渠布置,或用地埋管道输送到农渠。井灌工程的供水能力应达到单纯井灌能满足区内的灌溉要求(水稻较集中的地段,泡田、插秧时期除外),以保证渠灌无水时的灌溉用水。

3.3.4.4　井灌区内工程布置

井灌区内井灌工程自成体系构成井灌工程系统,承担该区的灌溉任务。该区水源除降雨入渗补给外,还受相邻井渠双灌区的地下水补给。井灌区内井灌工程的布置与一般的井灌区相同,只是在水源上考虑井渠双灌区的补给作用。如条件许可,尽量采用地埋管道输水灌溉，或采取其他节水措施。

3.3.4.5 工程规格标准

灌区骨干工程根据其控制规模、过水量，在规划设计中都进行了专门设计。这里讲的工程规格标准，主要是指田间配套工程。斗、农渠采用梯形土渠，可设计几种标准断面型式供配套工程采用。有条件的地方，尽量采用U型混凝土衬砌渠道。目前人民胜利渠灌区使用的主要型号为D40、D60、D80、D140、D170，已有现成模具，可在生产中大规模使用，其效果良好。如生产上需要，且需要数量较多，也可以加工生产D50、D100等型号模具，以供生产使用。

多数地区机井已满足需要，主要是加强管理，搞好配套。个别地区机井数量偏少，可根据规划补充新井。井灌输配水工程，在井渠双灌区与渠灌共用一套系统，在井灌区可采用地埋管道输水灌溉，其规格标准与一般的井灌区基本相同。

3.4 用水管理

水环境保护涉及面很广，内容很多，这里讲的水环境保护措施仅限于井渠结合地上水地下水联合运用管理方面。对于一个大型井渠结合灌区，不仅要有完善的井、渠工程体系，其用水管理也极为重要。完善的工程体系加上高水平的管理，才能充分发挥工程系统的作用，保障灌区工农业生产和人民生活用水，有力地保障灌区的水环境。

人民胜利渠灌区目前的用水管理方式是渠灌部分干渠以上由灌区专业管理机构——人民胜利渠灌区管理局管理；支渠及支渠以下部分由地方管理；井灌部分缺乏统一规划，由乡、村和群众自建自管。由此形成了灌区的计划用水主要是引黄渠灌，对井灌缺乏统一管理。在灌区上游引水方便的地区，渠灌用水较多，井灌的作用不能充分发挥，地下水位偏高，不仅因地下水蒸发而浪费水资源,还潜伏着次生盐碱化的威胁;相反,在灌区下游,渠水用量偏少,超量开采地下水而形成地下水漏斗。

井渠结合灌区,水资源管理的理想方式当然是地上水和地下水全部由灌区管理单位统一管理,但这种方式实行起来有很大困难,目前尚难以实现。为改善灌区的用水管理,目前可采取以渠控井的措施。具体做法是在每次灌溉时,根据渠灌水源的水沙条件、灌区内各分区的地下水位情况和需要灌水量等条件确定各分区的渠灌用水量,并严格按计划执行;各分区渠灌水量若不足,全部用井灌弥补。

人民胜利渠灌区水费征收方法以支渠为计费单元,实行按立方米收费。由于灌区范围大,支渠口距渠首距离差别很大。由此造成了向渠首远的支渠供水,不仅管理工作量大,而且由于输水损失,相同的渠首引水量水费反而减少。这从客观上也影响了灌区管理单位向灌区下游送水的积极性。建议采取差别水价,提高管理单位向下游供水的积极性。

3.5 小结

人民胜利渠灌区这样一个渠灌以自流为主的大型井渠结合引黄灌区,总的用水模式是井渠结合地上水地下水联合运用,以渠灌补充井灌水源之不足,以井灌补充渠灌之不及时。具体做法是:在井渠结合模式下,把全灌区划分为直接利用引黄渠灌的井渠双灌区和以井灌为主、通过地下水补给间接受益的井灌区。井渠双灌区和井灌区一起构成一个完整的有双层含义的井渠结合灌区。井渠双灌区内不仅要布置渠灌工程,同时还要有井灌工程系统,渠灌系统与井灌系统一起构成井渠双灌工程系统。井渠双灌区内井灌工程系统与渠灌工程系统共用一套田间工程系统。井灌区内井灌工程自成体系构成井灌工程系统,承担该区的灌溉任务。井渠双灌区与井灌区相间布置,或井渠双灌区呈条带状,两侧安排井灌区。渠灌系统引黄水的分配要求大均匀、小集中，即从整个灌区来讲，引黄渠水分布均匀，各地都能受益；从局部来讲相对集中，在灌区的部分地段修建渠灌系统，实行井渠双灌。

第四章 灌区田间工程配套模式及灌排技术研究

4.1 灌区田间工程配套模式研究

长期以来,黄河在宁夏、内蒙古河套地区引水灌溉,变沙碱不毛之地为肥沃农田,在下游地区却成为一条"害河".故有"黄河百害,惟富一套"的说法。千百年来,人们竭尽全力与黄河洪水作斗争,却不敢轻易从黄河两岸穿堤引水,兴灌溉之利。新中国成立后,人民胜利渠成为黄河下游兴建的第一个大型灌溉工程,揭开了下游引黄灌溉的序幕。在规划设计时首先是灌排并重,同时规划。灌溉渠道尽量避免与天然排水河道交叉或通过较大的洼地,以免影响排水。其次是灌排分设,自成独立系统。其三是规划了泥沙处理系统,防止或减少渠道淤积。1964 年以后,随着机井建设的发展,逐步形成了由渠、沟、井、池四个系统组成的完整工程体系,有了这一套完整的工程,便能够做到井渠结合,排灌兼施,沉沙与改土相结合。几十年来,灌区多次续建,在农业灌溉工程中发挥了显著作用,但由于工程运行时间长、投入不足、灌水措施不配套,因而远未达到设计效益。为了巩固引黄灌溉成果,进一步发展引黄灌溉事业,还必须清楚地认识到人民胜利渠灌区目前存在的问题。

引黄灌溉初期,人民胜利渠修建时,从设计施工到管理,各项工作都谨慎从事,干、支、斗、农、毛五级齐全,工程一直修到田间,因之灌区农业稳步发展。几十年来,灌区虽然多次续建,由于资金不足,并且在连年干旱的情况下,大面积引水抗旱,工程配套率很低,田间工程大多为群众筹资自建,缺乏统一规划,建设标准不一,大部分灌区只管理骨干工程,田间工程由地方管理,谁用水、哪里用水，就在哪里挖沟引水。在调查中发现，各灌区田块大小、各级田间渠道控制面积相差很大，建筑物型式、规格各异，畦宽度、长度规格不统一，农林争地现象普遍存在，机井建设无统一规划，不能与当地引黄灌溉很好地结合起来。现对灌区田间工程存在问题分述如下：

（1）沟、渠、路、林布局不合理。在农村实行联产承包责任制以后，由于各户劳力与人口的不同，承包土地的面积也不相同，大多农户以承包地宽度为一畦，畦宽有的不到1m，有的宽达十多米，畦长大都在200m以上，造成耕作、灌溉管理极不方便。田间工程大多无统一规划，各村、队根据自己的情况修渠引水，修路通车，各户承包田的畦埂上大都自己种树，造成树木过密、农林争地，影响农作物的产量，有的甚至在渠沟内坡也植树，造成渠道的维护、清淤困难。由于前几年引黄灌区盐碱地面积较大，人们对珍惜土地的观念比较淡薄，当时在规划时，田间道路一般较宽，田间生产路大都宽为6～8m，目前下游灌区如没有特殊交通要求，田间路宽3～4m就可以了。田间路过宽也使穿路的沟渠建筑物相应增宽，这样不但多占宝贵的耕地，而且也增加了道路及其他建筑物的投资。

（2）机井布局无统一规划。20世纪60年代初，人民胜利渠灌区停灌整顿，兴建了大批机井。人民胜利渠复灌以后，兴渠废井，机井缺乏正常的维修、管理，损坏、破坏严重。对于整个灌区来说，机井的布局也不合理，各灌区一般上游地区水资源比较丰富，而上游引黄河水又方便，大都能自流灌溉，上游多用渠水不用井水，大水漫灌，丰富的地下水资源得不到充分利用，且地下水位不断抬高，而灌区下游地区，引水困难，地下水资源贫乏，但多以机井灌溉，渠水补源，既无水源保证，又使地下水位大幅度下降，局部地区形成降落漏斗。这种不合理的水资源利用情况应早日得到改变，使机井在引黄灌区中发挥应有的作用。目前引黄灌区的井距、井的负担面积各地都有很大出入,小的 3.3 ~ 4.0hm^2,甚至 2.0 ~ 2.7hm^2,大的 10hm^2 左右,机井多为浅井。

机井建设中,按要求一般都有井房、井台,实际上井房并没有发挥其作用,大部分井房缺门少窗,破坏严重。机泵设备大部分随用随时安装,用完再拆卸运回保管。有的地方根本不建井房,机井管理混乱,由于人为破坏,进沙淤井,机井报废率很高。

(3)林粮间作比例失调。林带是田间工程不可缺少的一部分。合理的林带布设不但能改善农作物生态环境,对提高作物产量起到积极的作用,而且能增加群众的经济收入。但过多过密的植树,效果适得其反。最近十多年,许多地方大搞农桐间作,结果造成农林争地、争阳光、争水、争肥,导致农业的减产。尤其是近几年农户大都在自己承包田的田埂上植树,行距以承包田的宽度不等。过密的植树不但影响作物产量,也使田间耕作不方便。

4.1.1 田间工程布设要求

田间工程是集水利工程技术、农业综合技术和管理技术于一体的综合工程。田间工程应以充分合理地利用黄河的水沙资源,除涝改碱,建立良好的农田生态环境,建成稳产高产农田为目标。它包括田间渠道工程、排水工程道路、林网等骨架工程,田间土地平整,畦子规格,建筑物配套,井、电、林的布局,各种农业综合措施的配套使用等内容。田间工程建设要做到:

(1)适应当前农业经济体制的要求。从当地农业发展生产水平、水土资源等实际情况出发,统筹兼顾,全面规划,对灌区上下游之间,县、乡、村际之间的工程要统一协调,尽量照顾到行政区划和目前承包经营的规划。

(2)平整土地,合理划分田块,适应目前农机发展的要求。

(3)沟渠系统配套,合理地灌溉,提高渠系水利用系数;有效地排水、除涝、降低地下水位,治理盐碱,改良土壤,提高土壤肥力。

(4)建立相应的技术措施,便于“三水”的相互转化,提高当地水资源利用率。

(5)通过田间工程合理布设,提高土地利用率,减少交叉建筑物和建设工程量,以节约投资。

(6)合理利用各类土地,实现水、田、林、路综合治理。

4.1.2 田块大小的确定

田块是水利工程、林网和农田建设的基础。合理的田块大小是治理盐碱地和有效经营土地的关键。灌溉渠道、排水沟、田间林网及机械化作业要求是决定田块大小的主要因素。

4.1.2.1 田块长度的确定

(1)机械作业对田块的要求。随着农村生产责任制的实行,地块面积绝大部分由大划小,地块分布零散,种植品种繁多,机械作业效率受条田长度的影响。条田越长、机械作业的效率越高。对于中小型机械,条田长度在300m时,对其生产效率影响已很小;而大型机械条田长度超过800m时才对其效率影响不大。目前小型机械具有较强的适应性,但以发展的眼光看,在商品经济进一步发展的农村,其合理的经济结构是农业生产专业化,在不久的将来,将会出现一大批农机专业户,专门从事农机服务及农业生产。因此,单从农机效率来看,田块长度以300~800m为宜。

(2)排水沟间距对田块长度的影响。排水沟系中斗沟的间距影响着田块的大小,斗沟承担排涝、防渍和降低地下水位的任务,由于各地区土壤质地、地下水矿化度、气象条件、灌溉排水条件和农业技术措施不同,地下水临界深度也不相同,这就要求斗渠内的间距也不相同。经分析计算,一般斗沟间距为300~500m时可满足除涝、排渍、降低地下水位的要求。对于轻质土壤,地下水矿化度较高的地区,地下水临界深度较大,斗沟间距可取较小值;否则,斗沟间距可取较大值。

(3)林网对田块长度的影响。农田林网是农田生态的主要成分,它可以调节田间小气候,涵养水分,保护水利工程,防御风害,保护作物。据林业部门提供的资料,林带防护范围为树高的20~30倍,按树高15~20m计算,防护距离为300~600m。林网设置主副林带,主林带方向基本上与主风害方向垂直,副林带垂直于主林带。

就目前的农业生产水平,从引黄灌区的耕作情况及灌溉排水要求来看,田块宜小不宜大。根据以上几点,田块长度以300~500m为宜,不应再长。

4.1.2.2 田块宽度的确定

引黄灌区农沟为末级固定排水沟,其间距为50~100m,末级固定沟渠构成田间作业的基本单元。据有关资料分析,大中型农机作业适宜宽为40~100m,小型农机要求的宽度更小。农沟间距能满足农机作业的要求,田块宽度可根据林网、道路的布设选定为农沟间距的整数倍,可选定为300~500m。

根据以上分析,每个田块大小以长宽分别为300~500m为宜,田块形状最好为矩形。矩形地块有利于田间工程建设及田间耕作。

4.1.3 田间灌排渠系布设

4.1.3.1 斗农级渠系布设

各灌区的自然条件不同,田间灌排渠系的组成和布设也有很大差异,必须根据具体情况因地制宜地进行合理布设。

(1)灌排相邻布设。灌溉渠和排水沟相邻平行布设,灌溉渠单侧灌水,上灌下排,这种形式适用于地形有单一坡向、灌排方向一致的地区。

(2)灌排相间布置。灌溉渠和排水沟相间平行布设,灌溉渠布设在地形较高处,排水沟布设在地形较低处,灌溉渠向两侧灌水,排水沟承泄两侧的涝水,这种形式适用于地形比较平坦或有一定波浪状起伏不大的地区。

(3)灌排合一布设。引黄灌区历史上曾发生过大面积次生盐碱化,灌排合一在规划设计上曾是一大禁忌。但从近几年山东省的引黄实践看,灌排合一的布设形式在某些地方是可行的。这种形式具有以下几个优点:①可节省宝贵的耕地,节省耕地约2.5%;②相应地减少了排水网上大量的建筑物;③因整个地段内的灌溉系统均起着排水作用,因而有利于通畅地排除积水。

但这种形式也有它的缺点:①由于渠系断面相应地要加大加深,渠系的死水容积增加,渠水入田困难,因而增加了水的损失;②增加了部分劳务用工;③渠系中死水容积内极易落淤,增加了清淤量,但这种田间小渠清淤,单位土方用工很少,且淤土可为农户所用。

人民胜利渠灌区地形特征是大平小不平,比降平缓,这就决定了渠系布设形式的多样性,宜灌排分设。田间道路、输电线路与林带的布置应与灌排渠沟和机井相结合,结合形式可因地制宜选用。农渠与农沟可根据地形条件采用平行相间布置或平行相邻布置。

4.1.3.2 条田内部的渠系布设

(1)渠系布设的基本形式。

条田内部的渠系一般包括灌溉毛渠、输水沟和灌水沟、畦等,其布设随着作物播种方向、灌水方法、地面坡降、机械化作业及经济条件而决定,基本形式有两种:

①纵向布设:毛渠与灌水方向一致,灌溉水从毛渠流经输水沟,然后进入灌水沟、畦。对于地形平整较差的地块宜采用这种形式。

②横向布设:毛渠与灌水方向垂直,灌溉水从毛渠直接流入灌水沟、畦,省去了输水沟,这样可以减少渠道长度、节省土地,并减少水量损失。对于地形平坦的地块宜采用这种形式。

采用纵向布设形式时,毛渠一般垂直于等高线方向布设,这样使灌水方向能与地面坡度方向一致,有利于灌溉。采用横向布设形式时,毛渠一般沿等高线方向布设,使灌水沟、畦沿最大地面坡度方向布设,有利于灌溉。但地面坡度大于1/100时,为了避免田面土壤冲刷,毛渠可与等高线斜交,沿较小坡度方向布设。

(2)渠系布设形式的选择。

渠系布设的形式首先应考虑农作物的播种方向。由于南北向播种采光条件好,有利于作物生长,因此布设渠系时应尽可能地使作物南北向播种。这样,当毛渠为南北向时,主要考虑纵向布设形式;当毛渠为东西向时,则主要考虑横向布设形式。

在地形允许时,应尽量采用横向布设形式。与纵向布设相比较,横向布设不需要输水沟,大大缩短了渠道长度,节省土地、减少工程量,节约投资并缩短输水时间,减少了水量损失,提高了灌水效率及水的利用率。

渠系布设应考虑农渠与地面等高线相交的情况。在农渠垂直于等高线的情况下,要用横向布设,这样灌水方向与等高线垂直,使得灌水取得最大坡度,有利于灌溉;在农渠与等高线斜交的情况下,纵向布设与横向布设将取得大致相等的灌水坡度,此时也宜采用横向布设;在农渠与等高线平行的情况下,毛渠垂直于等高线,灌水方向与毛渠平行时,可使灌水取得最大坡度,因此应采用纵向布设形式。

渠系布设形式也受机械作业长度的影响,在纵向布设时,作物的播种方向平行于毛渠,若农渠间距较大、毛渠长度能满足机械作业要求时,此形式可采用;若农渠间距小、毛渠长度不满足机械作业要求时,其形式不能采用,需采用横向布设形式。但当采用横向布设灌水非常困难时,在条件许可的情况下,可改建农渠,在斗农渠间加设分渠,分渠连接斗农渠,使农渠与斗渠方向一致,处于相互平行的位置。

4.1.4 畦田规格的选定

合理的畦子规格应使灌水时畦田各处湿润均匀,田间水利用系数较高,灌水方便。畦灌水量的大小与畦长、畦宽、入畦流量、坡降、土壤等因素有关。农村实行生产责任制后，土地承包到户，由于各户人口、劳力的不同，所承包土地面积也不相同，因此畦田大小不一，大部分农户以承包田为一大畦。据调查，畦宽大多为2.5~10m，最宽达15m，畦长为300~500m，因此，大水漫灌的现象普遍存在。据测定，若其他条件相同，当畦长为50m，畦宽为1.8m时，田间水利用系数可达95%，畦宽为3.6m时，田间水利用系数为50%左右；当畦长为100m，畦宽为3.6m时，田间水利用系数仅为30%左右。为达到节约用水、合理灌溉之目的，应改变目前的畦田状况，改长畦为短畦、改宽畦为窄畦。畦长以50m左右为宜，由于目前耕作机械及农具的影响，畦宽以3m左右为宜。考虑到土地承包到户，畦宽以每户的承包田为一大畦，大畦内部根据田间耕作的要求，以3m左右的畦宽把大畦分成几个小畦，宽畦变窄畦后，可根据适宜的入畦单宽流量确定单畦单灌或数畦同灌，窄畦有利于田面横向整平，使土壤湿润均匀。畦田的纵向比降一般以0.002左右比较合适，比降过大，灌水行进速度快，入渗水量小，不能满足灌溉要求，且可能造成田面土壤冲刷；比降过小，灌水行进速度慢，深层渗漏水量大，田间水利用系数低，浪费水量。

4.1.5 田间建筑物

田间建筑物是一个物小量大的工程，一般结构比较简单，但数量很大，一般每万公顷配套门75~150座、农门450~1 500座、毛门1 500~4 500座。配套齐全的田间约$2hm^2$一个建筑物，由于目前田间建筑物的设计、施工与管理不善，使用损坏和人为破坏很严重。根据以往的经验教训，田间建筑物要生产定型化、施工装配化，选型上做到薄、轻、巧，经济实用，美观耐久，可以拆装。装配式建筑物可以工厂化、统一化、标准化，这样不但可以提高建筑物的质量，而且能够提高施工速度，节省原材料，尤其是引黄灌区装配式建筑物可以适应沟渠及田面的淤积变化情况，可以随沟渠的淤高而拆卸另外安装，这样可以大大节约工程投资。

4.1.5.1 分水建筑物

分水建筑物数量庞大、分布面广，它的设计是否合理影响着工程量的大小、施工的难易、建设速度的快慢和投资的多少，直接关系投资效果和灌区管理运用。分水建筑物的形式应以装配式为主。经过对装配式闸门与砖石结构的闸门建筑工程量及造价比较，装配式闸门工程量大大减小，造价不到砖石结构的1/2。另外，建筑物应尽量附设量水设备，以利于计划用水、节约用水和灌区的经营管理；闸门采用不对称的进口型式，以提高过流能力，采用不用橡皮的楔形闸门，增强止水效果。对于引水量很小的小毛门，运用锥形闸门效果也很好。

4.1.5.2 交叉建筑物

交叉建筑物主要有桥梁、渡槽等，生产桥一般宽度2~4m。跨度以渠沟宽度确定，一般为单跨，型式以装配式平板桥为主，桥台采用浅基，由于渠系的不断淤高，桥基不断被淤埋，随渠底的淤高，可拆掉桥板，加高桥台，以节约投资。

4.1.5.3 量水建筑物

对于梯形渠道应选用巴歇尔无喉量水槽，U型渠道可选用陕西省泾惠渠管理局研制运用的“U”型量水堰。

4.1.6 井的合理布局

人民胜利渠灌区地形特征是大平小不平，比降平缓，这就决定了渠系布设形式的多样性，宜灌排分设。灌区由于黄河决口泛滥、改道的影响，砂层和黏土层在水平和垂直方向交错分布，60m深度以内以粉细砂为主，有亚砂土、亚黏土及黏土夹层，含水层厚10~30m，大部分地区属富水区和较富水区。除小部分地区地下水矿化度大于2g/L外，地下水水质都较好。灌区以开采浅层水为主，井深一般为35~40m，深层水作为后备水源。井的平面布置应将水文地质条件、地下水资源状况与地形、提水机械和作物布局等情况结合起来考虑，保证在多年运用中取水条件不恶化。

井的间距主要决定于井的出水量和所能灌溉的面积：

$$D = 100\sqrt{\frac{QtT\eta}{W}} \tag{4-1}$$

式中：D 为井距，m；Q 为单井出水量，m^3/h；t 为每天灌水时间，h；T 为次灌水所需时间，天；η 为渠系有效利用系数；W 为灌水定额，m^3/hm^2。

由式(4－1)看出，在单井出水量一定的情况下，井距主要决定于灌水定额，要扩大单井的灌溉面积、减少井数、降低造价，就必须做好田间工程，平整土地，减少渠道的渗漏损失，采用先进的节水灌溉技术。

井位的布置要与灌溉渠道及输电线路结合起来，尽量沿渠布置，井位互相错开成梅花形，在条件许可时，井位尽量布置在高地，以便于输水。

4.1.7 田间道路林网布设

田间道路关系到农业生产、交通运输、群众生活等方面的需要，是田间工程的重要组成部分，进行田间工程规划时，对道路要全面考虑。交通公路可作为田块的边界或使干支渠沿公路旁布设，田间路可沿斗级沟渠旁布设，路面宽4～5m。生产路可沿农级沟渠布设，路面宽2～3m。一般没有特殊的交通运输要求时，路面不宜太宽，以免浪费耕地。林网的布设要与道路、沟渠相结合，在道路、沟旁、渠旁都应植树，每边可植树2～3行，采取乔灌木相间布置的形式。林网的布设要符合地方规定的绿化标准，以杨树为主的林网，带距一般不应大于400m，以泡桐为主的林网，带距不应大于300m，有时因地理条件的影响，可略作调整。林网的网格面积一般为6.7～13.3hm²，最大不超过20hm²，并且网格要完整。林木成活率须在85%以上。对有盐碱化威胁的地区种植耐盐碱树种，乔木一般可选用毛白杨、刺槐、臭椿等，灌木可选用紫穗槐等。渠道植树，树要栽在渠堤的外坡脚下，渠内坡不宜栽树，内坡栽树易形成阻水,破坏渠道,尤其是混凝土衬砌渠道,渠内坡植树对清淤工作造成很大困难。

4.2 田间灌排技术研究

人民胜利渠是新中国成立后在黄河下游兴建的第一个大型灌溉工程。几十年来,灌区虽然多次续建,在农业灌溉工程中发挥了显著作用,但由于工程建设运行时间长、投入不足、灌水措施不配套,因而远未达到设计效益。目前存在的主要问题:一是工程老化,标准偏低,渠道衬砌仅为防冲衬砌,节水渠道几乎没有,渠道输水效率低;二是工程不配套,向下游供水的输水干渠尚未配套,下游用水困难;三是新的节水灌溉技术推广应用滞后,多年来一直沿用大水漫灌的习惯,因而出现上游因渠道渗漏和大定额灌水而造成的昼灌夜排,而下游用不到水,水的浪费十分严重。为此,结合水利部大型灌区研究项目"河南省人民胜利渠灌区技术改造研究"对灌区内斗、农渠采用 U 型渠道衬砌技术、井渠结合灌水技术、地面畦灌技术、地面软管灌溉技术进行研究,并对先进的节水灌溉技术如地面灌溉技术、喷灌技术、微灌技术进行了典型设计。这些输配水技术的实施可以提高水的利用效率,节约的水资源可以分配到下游支渠。

4.2.1 斗、农渠 U 型渠道衬砌技术

人民胜利渠灌区现有总干渠 1 条,长 52.7km;干渠 8 条,长 4.12 ~8.2km;支渠 54 条,长 1.9 ~8.1km;斗渠 391 条,总长658.7 km;农渠 1 651 条,总长 675.5km。渠道总长 1 923km。

4.2.1.1 试验设计

在新乡县七里营乡、小冀镇选择有代表性的斗、农渠,对采取衬砌前后的灌水量进行整理。另外,在北翟坡试验区内开展了运用效果观测。资料见表 4 -1 和表 4 -2。

表4-1　斗、农渠改造前后灌水实测资料

乡别	渠道	改造前后	灌水天数（天）	总灌水量（万 m^3）	灌溉面积（hm^2）	毛灌水量（m^3/hm^2）	改造后每公顷次节水量（m^3）	改造后较改造前平均节水率　（%）
七里营	12斗	改造前	6	23.25	100	2 325	888	38.2
			10	34.40	143.3	2 400		
			6	25.52	83.3	3 060		
			10	30.63	126.7	2 415		
			14	35.04	183.3	1 905		
		改造后	8	28.21	193.3	1 459.5		
			7	22.41	160	1 491		
			4	7.80	50	1 560		
	8农	改造前	5	1.35	5.7	2 374.5	924	38.0
		改造后	5	0.58	4.0	1 450.5		
	9农	改造前	14	12.60	46.7	2 700	750	27.8
		改造后	12	15.56	79.8	1950		
	10农	改造前	14	10.20	40	2 550	750	29.4
		改造后	12	13.20	73.3	1 800		
	12农	改造前	13	9.56	33.3	2 850	1 125	39.5
		改造后	9	9.78	56.7	1725		
	15农	改造前	10	5.10	20	2 550	825	32.4
		改造后	8	5.75	33.3	1 725		
	16农	改造前	11	5.95	23.3	2 550	825	32.4
		改造后	7	55.18	30	1 725		
平均								34.1

从表4－1中可以看出，改造前用水量为2 259.0m^3/hm^2，斗、农渠为混凝土U型渠道衬砌后，用水量减少到1 689.0m^3/hm^2，渠道平均节水34.1%。在每次灌溉面积大致相同可采取工程措施后灌水大于改造前灌水面积的情况下，总的灌水时间都大大缩短，七里营十二斗衬砌前平均一天灌溉13.8hm^2，改造后平均一天灌溉21.2hm^2，斗渠灌水周期平均缩短34.8%。小冀镇6条农渠改造前平均一天灌溉2.5hm^2，改造后平均一天灌溉5.2hm^2，不仅节约了灌溉水量，而且能及时满足作物需水要求。

4.2.1.2　混凝土U型渠道防渗性能

混凝土U型渠道与土渠相比，具有节水、减淤、灌水周期短等优点。人民胜利渠灌区未衬砌的斗、农渠渠道水利用率一般为0.65～0.8，其利用系数低的主要原因是土渠的大量渗漏损失，但通过混凝土U型渠道衬砌后其防渗效果显著提高。经测定，技术改造前土渠的渗漏量为$3.3\times10^{-5}m^3/(m^2\cdot s)$，改造后U型混凝土渠道渗漏仅为$1.4\times10^{-7}m^3/(m^2\cdot s)$，渠道渗漏损失比原来减少了99.6%。同时，从实测的渠道水利用率来看（见表4－2），已衬砌的U型斗、农两级渠系水利用系数已达0.9，比土渠的0.65提高了38.5%，其节水效果显而易见。

4.2.2　田间畦田灌水规格试验研究

田间灌水工程直接影响着灌水定额和灌水的渗漏量。目前，灌区畦田规格过宽过长，一般以生产责任制农田为畦田规格（畦宽4～8m，畦长100～300m），单畦地块大都在0.18hm^2。在灌溉过程中，造成浇地时间长、用水量大、渗漏量大、田面水利用率低。为此，根据人民胜利渠以前的灌水资料，对畦田灌溉的单宽流量和畦长、畦宽进行了分析。

4.2.2.1　畦田灌溉的数学模型

一般来说，灌水定额与单宽流量、地面坡度和畦长之间存在下列数学关系式：

$$m = b_0 q^{b_1} i^{b_2} l^{b_3} \tag{4-2}$$

表 4－2　斗、农渠渠道水利用系数实测资料

渠道名称		断面型式	过水流量(L/s)	损失流量(L/s)	渠道长度(m)	流量损失(L/s)	渠道水利用系数(%)	渠道平均(%)	斗渠渠系水利用系数(%)
斗渠	七里营 12 斗	土渠	242	45	1300	58	0.76	0.76	0.65
农渠	小冀 9 农		8.0	2.5	400	1	0.88	0.86	
	小冀 7 农		41.6	13.1	467	6.1	0.85		
	七里营 7 农		60	13.2	700	9.3	0.85		
斗渠	七里营 12 斗	U	562	40.7	1500	6.1	0.89	0.95	0.95
			759	11.8	1500	17.7	0.97		
			249.6	4.7	1500	7.0	0.96		
	翟坡 1 斗	U	60	0.9	844	0.8	0.98		
			86.9	5.8	844	4.9	0.94		
农渠	小冀 7 农	U	62.2	11.4	540	6.2	0.90	0.95	
	小冀 9 农		96.2	7.5	860	6.3	0.94		
	小冀 7 农		47.5	5.9	540	3.2	0.93		
	北翟坡 7 农		70.5	5.1	330	1.7	0.97		

注：表内资料用流速仪测定。

式中：m 为灌水定额，m^3/hm^2；q 为单宽流量，$L/(s \cdot m)$；i 为沿畦长平均地面坡降，用小数表示；l 为平均畦长，m；b_0、b_1、b_2、b_3 为系数和指数。

对以前的研究成果进行回归分析知，灌水定额与畦长成正比关系，与单宽流量和地面坡降成反比关系。

4.2.2.2　试验处理

试验地块选在北翟坡试验区控制范围，灌水试验在小麦生育期内。对于灌水畦田，改变其田面纵坡实施困难、工程量大，试验将地面坡降定为1/1 000左右。选择畦宽2~4m、畦长40~100m的畦块，共设计10个不同的畦灌处理，灌水试验方案见表4-3。

表4-3　畦灌试验方案

处理区号	畦宽(m)	畦长(m)	入畦单宽流量(L/s)			改水成数
			一次	二次	三次	
1	2.2	40	1.5	2.5	3.2	0.9
2	2.2	60	1.5	2.5	3.2	0.9
3	2.2	80	1.5	2.5	3.2	0.9
4	3.3	40	1.5	2.5	3.2	0.9
5	3.3	60	1.5	2.5	3.2	0.9
6	3.3	80	1.5	2.5	3.2	0.9
7	4.1	40	1.5	2.5	3.2	0.9
8	4.1	60	1.5	2.5	3.2	0.9
9	4.1	80	1.5	2.5	3.2	0.9
10	4.1	100	1.5	2.5	3.2	0.9

4.2.2.3　试验观测

(1)量测设备。每次灌水用梯形量水堰测水量，秒表计时。

(2)土壤水分测定。土壤水分测定采用人工钻孔取土、室内烘干称重的方法。

4.2.2.4　试验资料的整理与分析

评价灌水方法的优劣主要是灌水均匀度，在此分别采用用水效率、储水效率和灌水均匀度三个指标对灌水质量进行评价。

用水效率E_a指灌水储存在计划层中的水量占总灌水量的百分比。

储水效率 E_s 指灌水储存在计划层中的水量满足计划灌水定额的程度。

灌水均匀度指灌溉水沿畦长方向入渗水量分布的均匀程度。

经整理后,灌水指标结果见表4－4、表4－5和表4－6。

表4－4　入畦单宽流量为1.5L/s时的灌水指标

处理编号	畦田面积(m^2)	计划层(m)	灌前平均含水率(%)	入畦单宽流量(L/s)		灌水定额(m^3/hm^2)	灌水后平均含水率(%)	用水效率(%)	储水效率(%)	灌水均匀度(%)
				设计	实际					
1	88	0.8	19.83	1.5	1.3	813.0	23.82	51.1	71.0	64.4
2	132	0.8	18.88	1.5	1.3	943.5	23.18	73.0	73.3	94.0
3	176	0.8	21.55	1.5	1.7	1278.0	23.39	43.0	71.1	76.4
4	132	0.8	19.45	1.5	1.0	1110.0	23.11	45.3	66.2	74.4
5	198	0.8	20.89	1.5	0.9	673.5	25.63	93.2	109.2	55.2
6	264	0.8	20.28	1.5	1.6	748.5	23.74	57.0	70.3	30.7
7	166	0.8	20.52	1.5	1.1	792.0	23.80	78.0	78.2	91.8
8	249	0.8	20.56	1.5	1.8	900.0	24.83	63.4	92.6	88.0
9	332	0.8	19.98	1.5	2.1	1126.5	23.62	52.3	75.5	38.7
10	400	0.8	20.85	1.5	2.0	1195.5	24.08	47.7	80.5	52.6

从表4－4、表4－5和表4－6可以看出,三个灌水试验处理的灌水入渗单宽流量逐渐增大,设计值分别为1.5L/s、2.5L/s、3.2L/s,通过计算其平均灌水历时分别为72.5min、40.4min、31.8min。但从灌水效果上看,入畦单宽流量为1.5L/s的设计值偏小。同时从表中可以看出,同一畦宽随着畦田长度增加,其灌水定额呈逐渐增大的趋势,综合比较,当畦宽为2.2～4.1m、畦长为40～80m时,各处理灌水效果比较好,其平均灌水定额为798.0～850.5m^3/hm^2。

表 4-5　入畦单宽流量为 2.5L/s 时的灌水指标

处理编号	畦田面积(m^2)	计划层(m)	灌前平均含水率(%)	入畦单宽流量(L/s)		灌水定额(m^3/hm^2)	灌水后平均含水率(%)	用水效率(%)	储水效率(%)	灌水均匀度(%)
				设计	实际					
1	88	0.8	19.83	2.5	1.9	750.0	23.52	63.2	68.7	71.0
2	132	0.8	18.88	2.5	2.6	867.0	24.55	80.9	89.7	95.9
3	176	0.8	21.55	2.5	2.4	742.5	23.43	31.3	51.6	31.2
4	132	0.8	19.45	2.5	2.7	802.5	25.70	95.9	108.7	80.4
5	198	0.8	20.89	2.5	2.9	682.5	25.34	80.4	103.7	83.4
7	166	0.8	20.52	2.5	2.5	1128.0	25.37	53.0	103.7	75.1
8	249	0.8	20.56	2.5	2.0	954.0	25.93	69.4	115.7	77.0
9	332	0.8	19.98	2.5	2.6	1150.5	25.60	59.5	107.7	81.3
10	400	0.8	20.85	2.5	2.3	1225.5	24.87	40.7	92.4	57.7

表 4-6　入畦单宽流量为 3.2L/s 时的灌水指标

处理编号	畦田面积(m^2)	计划层(m)	灌前平均含水率(%)	入畦单宽流量(L/s)		灌水定额(m^3/hm^2)	灌水后平均含水率(%)	用水效率(%)	储水效率(%)	灌水均匀度(%)
				设计	实际					
2	132	0.8	16.94	3.2	3.4	1137.0	24.39	80.8	90.2	89.1
3	176	0.8	16.10	3.2	3.5	1299.0	21.77	53.8	62.3	83.7
4	132	0.8	20.31	3.2	3.7	847.5	26.02	83.1	116.8	92.0
5	198	0.8	21.94	3.2	3.2	507.0	25.29	81.1	102.8	85.6
6	264	0.8	22.00	3.2	3.2	592.5	23.43	29.8	44.7	61.8
7	166	0.8	20.27	3.2	3.0	669.0	24.26	73.5	81.0	70.6
8	249	0.8	22.37	3.2	3.0	649.5	23.79	27.6	50.7	40.0
9	332	0.8	18.94	3.2	2.8	891.0	22.97	55.7	64.4	84.0
10	400	0.8	18.59	3.2	3.0	1167.0	23.74	54.5	77.9	44.2

从灌水质量方面来看,2、4、5 三个处理的灌水指标相对较好,其用水效率、灌水均匀度都在 80% 以上,灌水基本满足了计划层的灌水要求,且沿畦长方向受水均匀。

根据对入畦单宽流量和灌水质量两方面的评价,初步认定一般畦宽在 2.0 ~ 3.3m、畦长在 40 ~ 60m、入畦单宽流量在 2.5 ~ 4.0 L/s 范围内,比较适合畦田灌水要求。

4.2.3 软管灌水技术

地面软管灌水技术是近些年来群众创造的一种较好的灌水技术,它通过水泵加压由软塑料管直接将水送至田间。凡有水源的地方,均可使用这种灌水技术。它灌水方法简单,节省投资,机动灵活,适应性强,输水利用效率高,目前已在农村广泛应用。

为了提高软管的灌水效率,我们对它进行改进,除原有的输水管道系统外,增加了多孔配水软管。增加了配水管后,缩短了灌水时间,减少了灌水定额,提高了用水效率。

4.2.3.1 输水软管孔口出流试验

(1)试验目的和方法。

进行输水软管孔口出流试验的目的是通过测定输水软管孔口出流量,建立水压力与孔口流量的关系式,为多孔软管设计提供依据。

试验方法是通过控制水源压力,采用称重法依次测定不同水压力条件下某一孔径的孔口出流量,据此确定该孔口的出流经验公式(即流量 ~ 压力关系)。使用的试验设备有压力表、调节阀门、秒表、盛水容器和称重设备等。

(2)试验数据的处理方法。

对于孔口出流一般有以下关系式

$$q = kH^x \qquad (4-3)$$

经过线性变换,可以用最小二乘法求出 k、x 两系数,关系式如下:

$$
\begin{cases}
x = \dfrac{\sum_{i=1}^{N}(\ln H_i \ln q_i) - \dfrac{1}{N}(\sum_{i=1}^{N}\ln H_i)(\sum_{i=1}^{N}\ln q_i)}{\sum_{i=1}^{N}\ln H_i^{\ 2} - \dfrac{1}{N}(\sum_{i=1}^{N}\ln H_i)^2} \\
k = e^{\frac{\sum_{i=1}^{N}\ln q_i - x\sum_{i=1}^{N}\ln H_i}{N}}
\end{cases}
\tag{4-4}
$$

(3)试验结果及分析。

①3.5 寸塑料软管单孔出流量试验结果见表4-7。

表4-7　单孔流量试验结果　(单位:L/h)

孔径(mm)	水压力(m)						
	1	2	3	4	5	6	8
2	42.0	64.8	76.4	92.4	109.6	126.0	179.5
3	87.2	120.6	160.8	186.0	207.0	238.8	
4	143.4	210.0	267.0	321.7	361.2	422.8	
5	223.2	319.2	400.0	476.4	538.8	621.0	
6	282.8	406.4	509.4	609.0	707.2	813.0	
8	476.4	737.4	922.8	1 140.0	1 264.0	1 389.6	
9	634.4	920.4	1 186.4	1 407.6	1 596.0	1 831.2	2 408.4
10	794.4	1 165.2	1 488.0	1 749.6	2 017.8	2 269.8	2 595.6
11	903.0	1 369.2	1 725.6	2 174.4	2 325.6	2 659.2	
12	1 072.8	1 603.2	2 000.4	2 412.0	2 715.6		

注:空项表示水压不足或水压难以稳定时的数据没有测定。

②3.5 寸塑料软管单孔出流回归分析结果见表4-8。

表 4－8　单孔出流回归结果

孔径(mm)	K 值	X 值	相关系数 R	标准差 S
2	41.513	0.596 9	0.994 8	3.544 0
3	85.466	0.561 0	0.997 8	4.522 8
4	141.01	0.595 0	0.998 7	7.856 8
5	219.07	0.564 8	0.998 6	10.773 1
6	276.34	0.582 8	0.997 9	17.230 5
8	480.31	0.592 8	0.999 7	21.230 5
9	621.08	0.592 4	0.999 3	22.376 3
10	785.95	0.584 6	0.999 6	19.329 2
11	903.10	0.630 1	0.998 3	55.492 1
12	1 071.50	0.578 5	0.999 8	18.669 2

③拟合曲线见图 4－1。

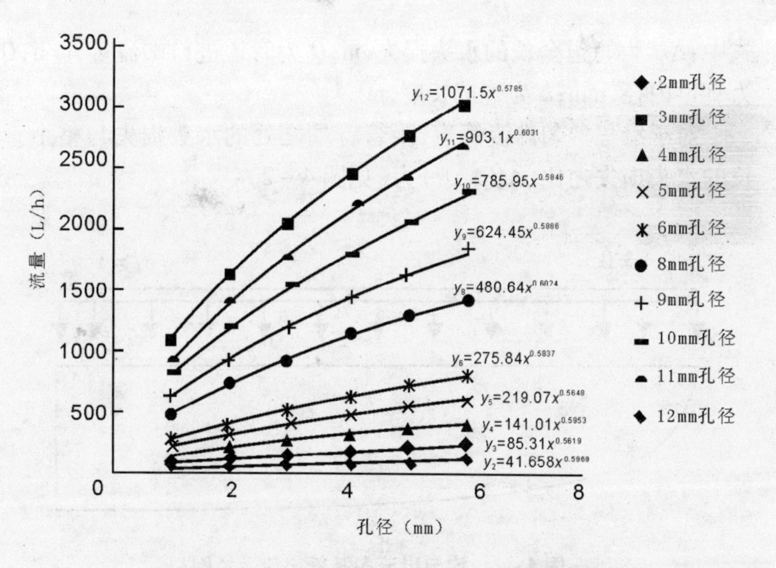

图 4－1　不同孔径压力～流量关系拟合曲线

4.2.3.2 多孔软管的设计

灌溉水进入田间后，由于缺乏理想的灌水方式，往往造成能源和水资源浪费现象。先进的节水灌溉方式，如喷灌、微喷灌、滴灌由于投资过高、能耗大，在高效种植区易于推广，而在大田大面积推广应用有一定的困难。本研究结合当地的实际情况，将操作简便的多孔软管和低压管道结合使用，解决了这一长期困扰大田灌溉的问题。

(1)多孔软管的设计方法。基本思路：将长度为 L 的软管分成几段，使每段的水头损失相等。由于沿流程方向水头逐渐降低，需通过增大孔径或减小孔距的办法来实现单位管长均匀泄流的目的。

沿程均匀出流管道水头损失经验公式为：

$$\Delta H = 0.103\frac{Q^{1.852}}{D^{4.871}}L \qquad D \geqslant 50\text{mm} \tag{4-5}$$

式中：ΔH 为管道全长的水头损失，m；Q 为管道进口端流量，L/h；D 为管道内径，mm；L 为管道长度，m。

对于沿程均匀出流管道，距管首端之处的水头损失与整个管长的水头损失之比($\Delta H_i/\Delta H$)为(见图4-2)：

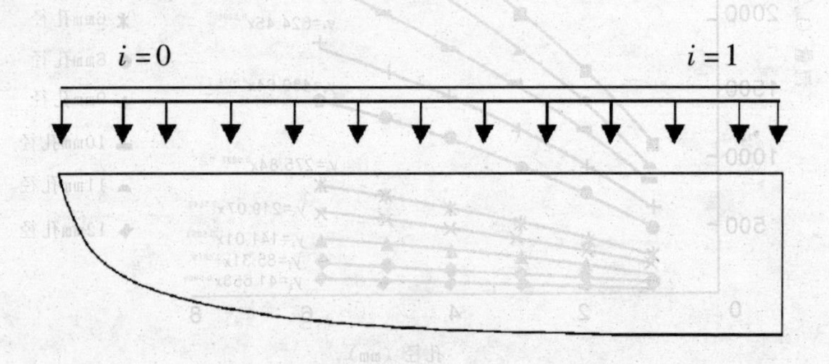

图4-2 均匀出流多孔管出流示意图

$$\Delta H = 0.103\frac{Q^{1.852}}{D^{4.871}}L$$

$$\Delta H_i = 0.103\frac{Q_i^{1.852}}{D^{4.871}}(L - l_i)$$

$$R = \frac{\Delta H - \Delta H_i}{\Delta H}$$

其中：$i = l_i / L$ (4－6)

ΔH_i 为进口端至 i 处的水头损失；i 为相对长度；m 为计算 ΔH 时所采用公式中的流量指数；l_i 为进口端至 i 处的距离；L 为管道长度。

则 $R_i = 1 - (1 - i)^{m+1}$ (4－7)

由式(4－6)、式(4－7)可得到：

$$i = 1 - (1 - R_i)^{\frac{1}{m+1}}$$

$l_i = iL$，则每段管长 $\Delta l_i = l_i - l_{i-1}$

每段管的管首水头为：$H_{i首} = H_{首} - R_i \cdot \Delta H$

式中：$H_{i首}$ 为第 i 段管的管首水头；$H_{首}$ 为整个软管的管道水头；其余符号意义同前。

每一管段的泄流总量为：

$$\Delta Q_{i泄} = iQ - \sum \Delta Q_{i-1泄}$$

式中：$\Delta Q_{i泄}$、$\Delta Q_{i-1泄}$ 为第 i、$i-1$ 段管的泄流量；Q 为整个软管的管道流量。

根据每段管的首端与末端水头的平均值来计算单孔口出流量，进而确定孔数和孔距。

(2)确定多孔软管的设计参数。对于 3.5 寸 40m 长的软管，设计流量 $Q = 20m^3/h$，$L = 40m$，$D = 87.5mm$。分段以首末端压差不超过 20% 为依据，分析如表 4－9、表 4－10（$d = 3mm$，$H = 85.466Q^{0.561}$）。

4.2.3.3 田间多孔灌溉试验

根据多孔软管计算方法，对该井进行灌溉试验，试验地为麦田，畦田长度50m、宽度2.5m。

表4-9 多孔管分段参数

段序号	1	2	3	4
R	0.25	0.5	0.75	1
i	0.095 95	0.215 759	0.384 966 1	1
L	3.837 988	8.630 362	15.398 646	40
Δl	3.837 988	4.792 374	6.768 283 5	24.601 35

表4-10 $H_{首}$ =4m 时软管分段情况

段序号	每段首水头(m)	每段末水头(m)	每段平均水头(m)	单孔流量(L/h)	每段泄水量(L/h)	每段孔数(个)	每段孔数(个)	孔距(m)	每米平均泄流量(L/h)
1	4	3.9669	3.9834	185.81	1918.9	10.327	10	0.74	516.37
2	3.9669	3.9339	3.9504	184.94	2396.1	12.955	14	0.74	462.71
3	3.9339	3.9009	3.9174	184.07	3384.1	18.384	18	0.73	510.67
4	3.9009	3.8679	3.8844	183.20	12300.0	67.141	68	0.73	493.69

(1)管长、管径、控制面积及工作时间。

根据畦田长度，考虑田间操作方便，取管长50m，则每根管正上面两边打对孔控制两畦，面积是250m²。管子选用63.5mm线性PE软管。根据水力学计算，每公顷次灌水定额450m³，一根管子控制两畦灌溉仅需1 624s。

(2)孔距、孔径打孔角度及孔数。

当地灌溉水源为渠引黄河水和井水，水源中含有一定的杂物，灌溉时会有泥水附于灌水管表面，经试验，泄水孔径 $d=3\sim5$mm

不易堵塞,且能满足灌溉要求。孔距一般控制在 300 ~ 750mm,满足灌溉均匀度。打孔角度根据畦宽,喷射角为 68.4°。

(3)试验结果分析。

对灌溉现场实测,灌溉软管供水均匀度为 98.3%,土壤初始含水率均匀系数为 97%,灌溉后 24 小时测定土壤含水率均匀系数为 92%。现场畦灌进行测定,对于长 50m、宽 2.5m 的畦田灌溉,需一次灌水 $60m^3$ 可满足灌溉要求,而且灌水时间需增加一倍。由此可见,采用多孔软管灌溉比一般地面畦田灌溉省水40% ~60%,并缩短了灌溉时间。

4.2.3.4　多孔软管灌溉模式的确定

通过试验确定多口出流灌溉软管的灌溉模式。一条软管(直径 63.5mm)过流量 $20 \sim 35m^3$,软管长度 30 ~ 80m,控制宽度为 3 ~5.5m,单孔直径为 3 ~5mm。根据试验区现状,配水软管采用直径 100mm 的小白龙软管,水泵一般出水量为 $25m^3/h$,扬程 15m 以下,使用机具多为 8.8kW 的手扶拖拉机或小型电动机。

4.2.4　低压管灌技术

4.2.4.1　低压管灌技术研究

低压管道输水灌溉(简称管灌),是利用低压管道代替土渠(明渠)输水到田间地头,进行沟(畦)灌溉的一种地面灌水技术,它具有节水、节能、省地、适应性强、输水快、减少渗漏和蒸发损失等优点。管道输水的利用率可达 95% ~97%,比土渠输水节约水量 20% ~30%,比硬化渠道节水 5% ~15%。人民胜利渠灌区拟在引黄不能自流,引黄提灌、灌排合一的灌溉区采用这种技术。水源以井灌为主,引黄提灌为辅。

人民胜利渠灌区采用井渠结合灌溉模式,因此无论是 U 型渠道或是管灌,均可与井灌共用一套渠道系统。其输水系统规模应以引黄输水需要确定,在引黄输水系统基础上,将井水就近引入。管灌时,可就近用管道将井水与引黄的管网联接,通过阀门控制水流，单井单灌；若明渠输水，可就近用管道或渠道与输水系统连接。

该项灌水技术适应于井渠结合区，其主水源为井水，考虑部分渠系水。各级地下输水管道过去多采用陶瓷管或混凝土预制圆管，目前已被PVC管所取代，在灌区中地埋管采用PVC薄壁管或PVC波纹管。

灌区内现有机井较多，井径多为0.3~0.6m，井深40~50m，单井出水量38~50m^3/h，水质符合灌溉用水水质标准。本次典型布置按每眼井控制面积5.3~6.7hm^{2}计，利用现有机井，计算新规划机井和原有机井配套费，该费用在井网工程规划中统一考虑。

管道系统布置采用井渠结合和单井控制管道系统两种，管道选材不考虑今后发展喷灌要求，全部按照低压管材要求进行设计，管道布置采用树状管网。单井控制供水管道级数采用干管（输水）、支管（配水）两级固定管道，井渠结合地区采用干、分干及支管三级固定管道，干、支管均采用PVC薄壁管。干管管径选用Φ200mm及Φ110mm两种，对应支管管径选用Φ110mm和Φ75mm；支管横向间距100m，单向供水给水栓间距取40~50m，双向供水给水栓间距取80~100m。根据实地情况，选择采用单向浇地或双向浇地，一个给水栓控制浇地0.4~0.8hm^2，单向浇地取小值，双向浇地取大值。干、支管埋深在地面以下不小于0.7m，水力坡降控制在0.2%~0.3%为宜。

灌水时，由干、支管输水，通过支管给水栓（或出水口）连接地面软管，然后向田间畦沟退管灌水，水流进入畦田或灌水沟，最后由作物吸收。给水栓采用移动式给水栓系统，1个给水栓系统使用1个下栓体，上栓体可移动式使用，一个管道系统（单井供水）只需配备3~4个上栓体，投资较省。

4.2.4.2 管灌工程典型设计

管灌工程所在的获嘉县，位于新乡市西部，距新乡市30km左右，为河南省重要的粮食产区。管灌工程区位于该县位庄乡的陈位庄、徐庄和新村三个行政村,总面积约 $267hm^2$。

4.2.4.2.1　基本资料

(1)地形地貌。该管灌工程区地势平坦,平均地面坡度在1/5 000左右,整个地形走向为西南高、东北低。

(2)土壤。该区根层土壤多为中壤土,土层深厚,保水保肥性能好,平均干容重约 $1.41t/m^3$,田间持水量约22.60%,冻土层深度在20~30cm之间。

(3)气象。新乡地区属暖温带大陆性季风气候带,平均气温14.5℃,最高41℃,无霜期220天左右,多年平均蒸发量1 800mm左右,降雨量620mm左右,雨量少且在年内分布不均,6~9月份的降雨量占全年的70%~80%。因而形成本区冬春干旱、夏秋多雨、先旱后涝、涝后又旱、旱涝交替的气候特点。

(4)水资源。该区主要靠抽取地下水灌溉农田,地下水水质尚好,但储量不甚丰富。单井出水量较低,地下水埋深为8m左右。

(5)现有水利设施。该区为纯井灌区,原有机井68眼,新打机井12眼,共有机井80眼,多为30~40cm口径的混凝土管井,井深在24~60m之间,单井出水量 $35m^3/h$ 左右,动水位埋深约21m,单井控制面积 $2.7 \sim 4.0hm^2$。

(6)农业现状。该区以种植小麦、玉米为主。小麦产量为 $6\ 000kg/hm^2$ 左右,玉米为 $6\ 000 \sim 7\ 500kg/hm^2$。

4.2.4.2.2　管灌工程规划设计

(1)管网规划布置原则。

总原则是因地制宜、合理布置、线路最短、费用最省以及运行管理方便。具体布置时考虑的因素是:以生产组或作业组地块为单位,尽量使单井自成体系,避免盲目多井并联,以利管理,按机井出水量、地块面积、形状来确定采用几级固定管;管道线路与道路和当地种植习惯结合,并尽量布置成双向分水,以节省投资;给水栓间距适宜，既方便操作又不增加工程造价；综合考虑当地土壤、畦田规格、灌水技术进行管网规划布置，使工程节水效果更大。

(2)管网的规划布置。

人民胜利渠试区属老井灌区，机井位置已固定、机泵已配套。规划时一般布置成树状，根据试区机井流量、水源位置、地块形状及面积的不同，树状管网又可分为非字形、梳齿形、工字形、L字形或一字形的布置形式：

①非字形布置适用于供水水源位于长方形地块短边一侧或地块中部，机井流量50～60m^3/h和控制地块面积较大的干、支二级固定管道布置。干管垂直种植行，支管平行种植行，地面软管与干管平行。

②梳齿形布置适用于供水水源位于长方形地块短边一侧或地块短边一侧地角，机井流量50～60m^3/h和控制灌溉面积较大的干、支二级固定管道布置。干管垂直种植行，支管平行种植行，地面软管与干管平行。

③工字形布置适用于供水水源位于长方形地块中部，机井流量和控制面积不限。干管平行种植行，支管垂直种植行，地面软管与支管平行。

④一字形和L字形布置适用于供水水源位于狭长条地块一侧，机井流量小于50～60m^3/h和控制面积较小的一级固定管布置。固定管与种植行垂直。单向分水时，固定管布置于地块长边；双向分水时，固定管沿长方形地块长边中部布置。

由于单井控制面积及地块形状差异较大，且灌溉地块受生产队或作业组隶属关系影响，布置时必须因地制宜，灵活运用。一般灌水畦长控制在50～80m范围内，畦田田面坡度大的，可使畦长适当增加。给水栓间距为50～60m，支管间距为80～100m。

4.2.4.2.3 灌溉制度的制定

(1)设计灌水定额。

管灌工程区以种植小麦、玉米为主,其灌水定额可利用适宜含水量计算:

$$m_{设}=10\ 000\gamma H(\beta_1-\beta_2)/\eta_{田}$$

经计算,设计灌水定额 $m_{设}=637.5\text{m}^3/\text{hm}^2$

(2)灌水周期。

灌水周期可按下式计算:

$$T=\frac{m_{设}\cdot\eta_{田}}{E_p}$$

经计算,$T=8.1$ 天,考虑到今后的发展,取 $T=8$ 天。

(3)灌水次数

据有关试验资料和当地灌溉经验,一般小麦灌水 3 ~4 次,平水年灌水 3 次。玉米一般灌水 2 次。小麦灌溉定额一般年份为 1 950m^3/hm^2,玉米灌溉定额为 1 275m^3/hm^2。

为满足沟灌、畦灌技术要求,必须平整土地,按农田节水要求规划畦田和灌水沟规格。全灌区共规划低压管道节水面积为1.83 万 hm^2。

4.2.4.2.4　管材、管件及管径的选择

(1)管材、管径的选择。

低压管灌系统中管材的费用占工程总造价的 70% ~80%。因此,管灌技术能否大面积推广应用在很大程度上取决于能否提供适用和价廉的管材。由于塑料管道价格合适,应尽量采用。

(2)管径的选择。

管径大小与管灌工程一次性投资和运行费用之间有着极密切的关系。管径小,工程投资小,但运行费用高;反之,管径大,工程投资大,但运行费用低。因此,最优管径应使一次性工程投资和运行费用之和最小。在管径选择时控制管道经济流速在 0.5 ~1.5m/s范围内。管径可按下式选择:

$$d=\sqrt{\frac{4Q}{\pi V}}$$

式中:Q 为机井设计流量,m^3/s;V 为经济流速,m/s;d 为管道直径,mm。

4.2.5 喷灌、微灌技术

喷灌与地面灌相比,具有节水、节省劳力、少占耕地、对地形和土质适应性强、保持水土等优点。它可以根据作物需水状况,适时适量地供水,一般不产生深层渗漏和地面径流,喷灌后地面湿润较均匀,灌溉水利用系数可达0.9以上,比明渠输水的地面灌溉省水30%~50%。微灌可分为微喷灌、滴灌等,微灌比喷灌具有更好的节水效果,但技术要求更高,投资也较大。人民胜利渠灌区规划与喷灌节水区规划一同考虑。

由于喷微灌投资比一般地面灌水投资高,因此,人民胜利渠灌区拟在以井灌为主的灌溉区和经济作物密集种植区推广该项节水技术。根据条件,全灌区内规划喷微灌面积0.61万 hm^2,其中喷灌0.54万 hm^2、微灌0.07万 hm^2。因引黄水含沙量大,为避免堵塞管道,喷微灌水源一般采用井水或经沉淀后水源可靠的沟河坑塘的清水。

4.2.5.1 喷灌工程规划

喷灌工程规划应充分适应农业经营条件,特别是在进行综合利用的情况下,要满足农业经营方面多种形式的用水要求,这是最根本的原则。此外,规划时还应考虑地形、气象、土壤等自然条件和田间配套工程状况、工程费、维护管理等因素。

4.2.5.1.1 配套工程的总体规划

旱地灌溉自水源至田间的配套工程包括输水系统、配水系统和田间灌溉系统。输水系统是指自水源至配水系统的一系列设施的总称;配水系统是指自田间调节池至田间的一系列设施的总称;田间灌溉系统是指控制若干个轮灌田块的阀门及最末级的一个供水控制阀门(给水栓)所控制的田间范围。它们相互之间密切相关,因此在制定规划时必须从经济性、功能性、安全性等几个方面考虑,取得工程总体上的协调。

喷洒单元是进行灌水作业的最小单位,其面积大小应适应农业经营状况、种植结构以及水管理作业状况的要求。轮灌田块是由若干个喷洒田块组成,灌溉单元(田块)是指配水系统的一个供水范围,由一个至数个轮灌田块组成。灌溉单元的系统流量原则上可按耗水量的平均值计算,灌溉单元从水管理考虑以不涉及一个以上的村落为好。

喷灌的水源可以灵活多样,如河川径流、地面径流及地下水等。根据人民胜利渠灌区情况,喷灌水源采用地下水,利用现有机井加压供水。

4.2.5.1.2　田间灌溉系统规划

(1)喷洒单元的规模。

喷洒单元的规模根据农业经营条件、工程设施、维护管理费等因素综合考虑确定,最重要的是要适应地形、作物种类及规模化程度、田间工程配备程度、土地所属情况等实际的农业经营条件。如不满足这些条件,工程设施的利用将显著地受到限制。因此,有必要调查规划区的集体作业和协作组织的情况以及耕地和作物的分散程度,在此基础上确定喷洒单元的大小。喷洒单元面积增大时,每个阀门的控制面积也增大,单位面积的工程费用随之下降。另外,对于综合利用的情况,因年使用次数增加,故不仅考虑工程费用,还有必要从便于操作管理和减少维护管理费等方面综合考虑。

人民胜利渠灌区农户经营规模小,耕地分散程度大,水源条件中等,因此实际可采用的喷洒单元面积只有0.5~0.8hm^2。

(2)田间器材的选择。

喷灌设备、阀门等田间器材直接承担田间的喷水工作,应根据作物种植种类、农业种植条件、田间基本建设状况、地形、气象条件等综合考虑确定,以充分发挥旱地灌溉的效益。根据使用目的和使用条件选择适宜的形式和结构。此外,还要注意设备的精度,避免选择精度偏低或过高的设备。

目前在我国广泛应用的旋转式喷头,其主要的设计参数如表4－11和表4－12。

表4－11　ZY－1型双喷嘴喷头性能

喷嘴直径（主嘴/副嘴）（mm）	喷头压力（hPa）	流量（m^3/h）	射程（m）	喷水量（mm/h）		
				喷头间距 12m×12m	喷头间距 12m×18m	喷头间距 18m×18m
4.0/2.8	3.0	1.65	14.9	11.5	7.6	5.1
4.5/2.8	3.0	2.00	15.4	13.9	9.3	6.2
5.0/2.8	3.0	2.36	16.0	16.4	10.9	7.3
4.5/3.2	3.0	2.23	15.4	15.5	10.3	6.9
5.0/3.2	3.0	2.48	16.0	17.2	11.5	7.7
5.5/3.2	3.0	2.73	16.4	19.0	12.6	8.4
6.0/3.2	3.0	2.98	16.9		13.8	9.2
6.5/3.2	3.0	3.22	17.3		14.9	9.9
7.0/3.2	3.0	3.47	17.7		16.1	10.7

对于一般的补充灌溉,因喷洒水量多,不会因为喷头回转时间的差异而出现喷洒不均的问题,故不必对回转时间进行规定。补充灌溉的喷头回转时间在1～5min的范围内,越大型的喷头回转时间越长。但是,综合利用特别是喷洒农药时,因喷洒时间极短,回转时间上的差别有可能造成喷洒不均,故取20～60s比较短的时间较为适宜。为了根据灌溉计划给定的条件控制流量,正确进行配水操作,应设置适合使用条件的调节装置。如按使用目的大

致分类，有用于输水系统流量自动控制的自动阀门，有为保护管道安全而设置的管道安全阀，也有用于喷洒农药、肥料的药液均匀喷洒阀等。另外，还有给水栓、混合器（将药液注入管道）及量水装置（差压式、电磁式、超声波式、旋翼式等）。

表 4-12　ZY-2 型双喷嘴喷头性能

喷嘴直径（主嘴/副嘴）（mm）	喷头压力（hPa）	流量（m^3/h）	射程（m）	喷水量（mm/h）		
				喷头间距 18m×18m	喷头间距 18m×24m	喷头间距 24m×24m
6.0/3.1	3.0	2.97	18.5	9.2	6.9	
6.5/3.1		3.39	18.9	10.5	7.8	5.9
7.0/3.1		3.83	19.1	11.8	8.9	6.6
7.5/3.1		4.30	19.8	13.3	10.0	7.5
8.0/3.1		4.81	20.4	14.8	11.1	8.4
8.5/3.1		5.34	21.6		12.4	9.3
9.0/3.1		6.38	22.5		14.8	11.3
9.5/3.1		7.03	22.8		12.2	9.8
10.0/3.1		7.72	23.0		12.4	10.1

（3）田间设备的配置。

田间设备的配置应按水利用的目的合理确定，以达到水利用的最大效率。喷头的配置间距和喷嘴口径等的确定应保证能以适当的喷灌强度均匀喷洒，量水设备、阀门类的配置应考虑喷洒单元的大小以及操作管理的要求确定。

根据使用目的正确选择喷头流量、水量分布等喷洒特性。喷头的喷洒图形是以一个喷头为中心，按 2～4m 的间距呈方格状布置雨量筒，进行喷洒并测量筒内的水深作为该位置的喷洒水深，通过绘制等水深线图形，利用单喷头的喷洒图形，进行平面组合时改变其纵横的间距，就可以得到不同喷头和支管间距下的喷洒效率。

喷灌系统采用固定管道式喷灌系统，管道布置采用单井管网系统，干、支管均采用高压 PVC 聚氯乙烯管。干管管径选用 Φ110mm，支管管径选用 Φ75mm、Φ63mm。立管可采用高强锦塑管或镀锌钢管，立管管径选用 Φ33mm。为便于耕作，节约投资，立管采用活动式，灌水时临时安装，不用时将其拆除。立管可周转使用，轮流灌溉，其数量可按单井控制两套喷灌支管 10 ~ 15 个喷头的成套设备。

喷头采用全圆喷洒型式，为使喷头不致过密，应尽量使用射程较大的喷头，以充分利用射程，使喷头有较大的间距。灌区在灌溉季节主风向比较稳定，喷头组合采用矩形组合布置型式，可弥补风力的影响，不致出现漏喷现象。

根据河南省已有喷灌农田试验区经验，喷洒直径在 20m 左右雾化效果较好。参照实验成果，本次规划支管间距采用 18 ~ 20m，喷头间距采用 15 ~ 20m，喷头主喷嘴直径可选 6.5 ~ 7.0mm。

管道式喷灌系统的类型很多，除固定管道式外，还可采用半固定管道式和移动管道式喷灌系统，还有定喷和行喷机组式喷灌系统等。由于灌区范围广，各地自然条件、作物种植以及社会经济条件等均存在差异，因此，喷灌工程规划应根据因地制宜的原则，分别采用不同类型的喷灌系统。另外，喷灌工程的规划还应符合当地农田水利规划的要求，与排水、道路，林带、供电系统布置相结合。

4.2.5.2　微灌工程技术

微灌是一种新型的节水灌溉技术，包括滴灌、微喷、小管出流灌溉、地下渗灌。它可根据作物需水要求，通过低压管道系统与安装在末级管道上的特制灌水器，将水和作物生长所需的养分以较小的流量均匀、准确地直接输送到作物根部附近的土壤表面或土层中。与传统的地面灌溉和全面积都湿润的喷灌相比，微灌常以少量的水湿润作物根区附近的部分土壤，主要用于局部灌溉。微灌一般不产生深层渗漏和地面径流，灌溉后地面湿润较均匀，灌溉水利用系数可达 0.95 以上，比低压管道输水的地面灌溉省水 40%~50%，比喷灌省水 15%~30%。微灌可分为微喷灌、滴灌等，微灌比喷灌具有更高的节水效果，但技术要求更高，投资也较大。

4.2.5.2.1　微灌工程的组成

微灌工程通常包括四个部分：水源工程、首部、输配水管网和灌水器。

(1)水源。

只要水质符合微灌要求，河流、湖泊、渠道、井等，均可作为微灌的水源。为了利用这些水源，需要修建引水、蓄水、提水工程以及相应的输配电工程等，这些工程通称水源工程。

(2)首部。

微灌系统首部是由机泵、阀门、过滤设备、施肥装置、控制设备、保护设备和量测设备等组成。在微灌系统运行中承担着检测、调控、维护等任务，是系统的控制调度中枢。

①净水设备：微灌灌水器孔径都很细小，一般只有 1mm 左右，容易被污物堵塞，所以微灌用水都应经过净化处理。黄河引水中含沙量高，应先通过沉沙池将大颗粒泥沙沉淀处理，再经过过滤器进入微灌系统。常用的过滤器有：

筛网过滤器：可根据灌水器孔径大小来选配不同网目的滤网，以拦截无机污物。

沙过滤器：在一个压力密封罐内装一定规格的纯沙，水经过沙层就可以滤除水中的杂质，过滤水中有机物，如鱼卵、藻类等。

离心式过滤器：也叫水沙分离器，水经过离心力作用，将水中沙子分离出去，当水中含沙较多时，常作为一级过滤使用，但还应与筛网过滤器配合使用。

叠片式过滤器:是由许多刻有沟槽的塑料同心圆片组成,结构紧凑,过滤效果好。

②施肥装置:将可溶性肥料或农药液体按一定剂量通过施肥(药)设备进入微灌系统,并随灌水而施肥(药),又称施肥灌溉。常用的施肥设备有施肥灌、开敞式肥料桶、文丘里注肥器和注射泵等。

施肥罐:又称压差式施肥罐,适用于首部压力较高的系统中,利用阀门调节上下游压差,使施肥罐的肥液流入滴灌系统。

开敞式肥料桶:适用于自压水源微灌系统的首部,通过供肥管阀门,就可将肥液流入微灌系统而施入田间,使用方便。

文丘里注肥器:与敞开式肥料箱配套组成一套施肥装置。其构造简单,造价低廉,使用方便,主要适应于小型微灌工程如温室大棚内,缺点是水头损失较大。

注射泵:微灌系统中常使用活塞泵或隔膜泵向灌溉管道中注入肥料或农药。使用该装置的优点是肥液浓度稳定不变,施肥质量好,效率高;缺点是需另加注射泵,且造价较高。

③保护装置。

减压阀:安装在可能出现超高压的地方,或在系统首部。特别是对较大的微灌系统,或水头较高的自压微灌系统,都应在适当地点安装减压阀。

进排气阀:一般安装在干管和支管最高处。其作用是:当系统充水时,排出管道中的空气;当管道排水时,使空气进入,避免产生负压,以防滴头吸入泥土,在渗灌系统中,对此更不应忽视。

(3)管道与连接件。

管道(包括干、支、毛管)与连接件在微灌系统中用量多、规格多,所占投资比例较大,设计人员要了解国产管道与管件的型号规格,以便恰当选用。微灌中用得最普遍的管材是塑料聚乙烯管道与管件，而且为了提高抗老化性能、防止管内生长藻类，管材通常制成黑色。其中高压低密度聚乙烯管为半软管，对地形适应性强，是目前国内微灌系统使用的主要管材，具有韧性好、化学性能稳定、耐腐蚀等特点。为了田间组装方便，各种规格的管材都备有配套的附属管件，如接头、三通、弯头、旁通和堵头等。

(4)灌水装置。

微灌的灌水装置包括滴头、微喷头、渗水管、滴水管和滴水带等，或置于地表或埋入地下。灌水装置的好坏直接影响田间灌水质量。

4.2.5.2.2　微灌的优缺点

(1)优点。

①省水：微灌系统全部由管道输水，没有沿途渗漏和蒸发损失。另外，微灌是局部灌溉，灌水时一般只湿润作物根区的部分土壤，灌水定额小，不会发生地表径流和深层渗漏；微灌能适时适量按作物生长需要供水，较其他灌水方法的灌水利用率高，一般比地面灌溉省水1/3～1/2，比喷灌省水15%～20%。

②节能：微灌系统的灌水装置在低压条件下运行，一般工作水头为5～15m，而喷灌的工作水头需30～50m，两者相比，微灌节能。又因微灌比地面灌溉省水很多，灌溉水利用效率高，这也意味着减少了能耗。

③灌水均匀：微灌系统能够有效地控制每个灌水装置的出水量，使作物都能得到适宜生长的水分和养分，灌水均匀度可以高达90%以上。

④增产：微灌能适时适量地向作物根区供水供肥，并能调节棵间的温度和湿度，为作物生长提供十分有利的条件，因而可获得高产。同时在产品质量上也有所提高。实践证明，微灌较其他灌水方法可增产30%左右。

⑤适应于复杂地形：微灌系统配有各种控制和调节设备，因而

能在各种复杂地形条件下进行灌水。如在使用其他灌水方法很困难的山丘地区,很适合发展微灌。

⑥适合对不良土壤进行灌溉:微灌系统水量按需要进行控制。灌水速度可快可慢,如对于入渗率很低的坚实土地或黏土地,灌水速度可以放慢,使其不产生地面径流;对入渗率很高的沙质土,灌水速度可以提高,灌水时间可以减少或进行间歇供水,既能使作物根层经常保持适宜的土壤水分,又不至于产生深层渗漏。

⑦可利用咸水资源:微灌可以使作物根系层土壤经常保持较高的含水状态,因而局部的土壤溶液浓度较低,作物根系可以正常吸收水分和养分而不受盐碱危害。实践证明,使用咸水滴灌,水中含盐量在高达2~4g/L时作物仍能正常生长,并能获得较高产量。

利用咸水滴灌会使滴水湿润带外围形成盐斑,长期使用会使土壤恶化。因此,在灌溉季节末期应进行淡水冲洗。

⑧节省劳动力:微灌系统可全部同时进行灌水,也可分区轮灌,只需开、关阀门就可以进行灌溉,不需平整土地或开沟打畦,大大减少了田间灌水的劳动强度,还可以实行自动控制。

(2)缺点。

①易于引起堵塞:灌水装置的堵塞是当前微灌应用中最主要的问题。因此,微灌对水质要求较严,可用水源都应经过过滤,必要时还需经过沉淀和化学处理后才允许进入微灌系统,否则将会使灌水装置发生堵塞,严重者会使整个系统无法正常工作,甚至报废。

②可能引起盐分积累:当在含盐量高的土壤上进行微灌,或是利用咸水微灌时,盐分会积累在湿润区的边缘。若遇到小雨,这些盐分可能被淋洗到作物根区而引起盐害。因此,在遇到小雨时,应继续进行微灌。同时,在没有充分冲洗条件下的地方,或是秋季没有充分降水的地方,就不要在高含盐量的土壤上进行微灌,或是利用咸水微灌。

③可能限制根系的发展：由于微灌只湿润部分土壤，加之作物的根系有向水性，这样就会引起作物根系集中向湿润区伸展。在没有灌溉就没有农业的西北干旱地区，发展微灌时应特别注意正确布置灌水装置，在平面上要布置均匀，在深度上最好采用渗灌。对于半干旱半湿润地区或是湿润地区，微灌仅作为降水分配不均或是水量不足的补充性灌溉，这一问题几乎是不存在的。

(3)微灌的适用条件。

从某种意义上讲，微灌的适用性几乎不受限制。但是从目前的技术水平和实际情况看，究竟在什么地区什么作物上采用微灌较好，又采用什么形式的微灌较适合，分别介绍如下：

第一，微灌适宜用的地区：一是适用于干旱的山坡丘陵地区；二是适用于小山泉、小溪流等其他灌水技术无法利用的分散的小水源区；三是其他灌水方法很难灌溉的地区，如沙漠、河滩地、石质砂砾地区等。当然，条件优越的地方更适用。故微灌在适用地区几乎不受限制，只是应根据需要和经济条件，发展有先有后而已。

第二，微灌首先用于经济价值较高的作物如茶叶、柑橘以及各种果树、瓜菜等，对咖啡、胡椒以及食用菌等效果更好，对苗圃花卉以及荒山绿化也能发挥它的作用。对大田粮食作物、油料作物（花生）应用微灌也都能取得很好的经济效益。

第三，微灌的各种灌水装置都有它的特点和适灌的对象。一般地讲，大田粮食作物和油料作物（如小麦、花生等）应用移动式地表滴灌较适用；对于既要求增加土壤湿度又要求增加田间空气湿度的作物，如茶叶、咖啡、胡椒等，宜采用微喷灌方式；对于多年生深根作物采用渗灌较适用；对于果树和绿化造林的灌溉采用微喷灌、滴灌、渗灌都可以。

第四，微灌适用于温室和塑料大棚的蔬菜栽培，试验表明，微灌的大棚黄瓜产量高、品质好、可以提前上市，经济效益相当高。

4.2.5.2.3　微灌工程的分类

(1)滴灌。

滴灌也称滴水灌溉,是通过安装在毛管上的滴头、孔口或滴灌带等灌水器,将水一滴一滴、均匀而又缓慢地滴入作物根部土壤中的灌水方式。主要用于日光温室或无土栽培技术等高产出土地。灌水时仅滴头下的土壤得到水分,灌后沿作物种植行形成一个一个湿润圆,其余部分是干燥的。由于滴水流量小,水滴缓慢入渗,仅滴头下的土壤水分处于饱和状态,其他部位的土壤水分处于非饱和状态。土壤水分主要借助毛管张力作用湿润土壤。滴灌不破坏土壤结构,土壤内部水、肥、气、热能经常保持适宜于植物生长的良好状况,蒸发损失小,不产生地面径流,几乎没有深层渗漏,是一种省水的灌水方法。根据在田间的施水特点,滴头分为线源滴头和点源滴头两大类。

①线源滴头。对行播作物而言,沿毛管均匀施水的线水源装置(即线源滴头,也称滴灌带)最为适合。它们不但提供了所需要的直条形湿润区,要求的工作压力低,而且毛管和滴头合为一体,大大地降低了造价。

薄膜双壁管:分内外两个管腔,外管单位长度上的孔眼数是内管的4~6倍。优点是工作压力低、抗堵性能好、均匀度高、造价低。

双壁管滴灌带:由薄膜聚乙烯材料吹塑而成,内径一般为25mm。该滴灌带省掉了滴头,工厂化生产,均匀度达95%以上,造价较低,安装方便,易于运输,生产技术要求不高,是一种用途较广泛的滴灌毛管。

滴头内镶式毛管:这种毛管的滴头安装在毛管的内壁上,毛管内径为15mm。滴头流道呈迷宫形,滴头相对复杂,一般造价较高。优点是使用时间较长、滴头安装规范化、质量较高。

薄膜滴灌带:由黑色薄膜卷封成管,两膜热合重叠部分用模具加工成迷宫形流道，起调压、稳流作用，省去了滴头，可延伸0～200m，适合条栽作物，也可埋入地下使用及机械化铺设。它正逐步替代滴头滴灌系统，具有性能稳定、灌水均匀、造价较低、工作压力低等突出优点。

②点源滴头：点源滴头是通过田间施工安装在毛管上，对于株行距较大的所有果树作物、温室大棚、陆地栽培等均可使用。

发丝滴头：是内径为1mm左右的黑色聚乙烯管插入毛管而成为发丝滴头。它在毛管上的安装有散放式和缠绕式两种。主要优点是根据毛管中水压变化，调节微管长度而使整条毛管的滴头出水量均匀一致。缺点是安装费事，且不易保证质量，滴头易从毛管上脱落而影响农事，不易管理。

管式滴头：当压力水流经过又窄又长的内螺纹或迷宫式流道时，能量渐渐地被消耗掉，压力水流变成不连续的水滴流出滴头。

孔口滴头：是一种结构简单、工作可靠、价格低廉的灌水器，具有安装方便、流量不受水温变化影响等优点，在不少地方得到广泛使用。

压力补偿型滴头：滴头腔内装有弹性膜片，毛管压力大时膜片受压变形，流道变小，反之则变大，从而达到调节流量的目的。缺点是结构复杂、价格高，使用的弹性材料时间长了会老化，失去调节功能。

脉冲式滴灌系统：由导流阀、流量调节阀和膜片式滴头等三部分组成，与毛管连通成一个小的闭路滴灌系统。它具有许多优点，如滴头不易堵塞、可取消普通滴灌系统中过滤极细杂质的过滤装置、节省能源、运用方便、灌水均匀、适应性强等。但这种系统结构比较复杂，造价高。

(2)微喷灌。

微喷灌是介于喷灌与滴灌之间的一种灌水方法，主要用于果树的灌溉，不仅可以湿润土壤，而且可以提高空气湿度，起到调节田间小气候的作用,从而提高苹果的品质。

根据河南省已有微灌农田试验区经验,输水干管一般采用PVC塑料管,管径一般为110mm;支管选用PE塑料管,管径为50mm、40mm、32mm等几种规格;毛管选用15mm、12mm、10mm等几种规格的PE塑料半软管。微喷灌水器选用WP型雾化微喷头,该喷头在0.1MPa工作水头时的流量为42L/h;滴灌灌水器选用KD型孔口式滴头,该喷头在0.1MPa工作水头时的流量为15 L/h;因山区高差比较大,为防止流量不均,每根毛管的首部用一流量调节器控制。

这类灌水器的种类很多,按其喷洒状态和水力性能可分以下几种:

折射式微喷头:又称雾化喷头。其喷射方向有单向、双向和全圆几种。工作压力为10m,射程为1.4~3.0m。其优点为结构简单、价格低廉、运行可靠、抗堵塞能力强,既可增加土壤水分,又可提高空气湿度。但喷射面有一定死角。可用于灌溉茶园、果园、苗圃、蔬菜花卉、温室大棚。

散射式微喷头:与折射式喷头类似,只是当水流碰到散水锥后向四周漫射时,又受到喷头体边缘的分水齿的约束,把水流分成若干股,向四周射出。工作压力为10m,射程3~4m,雾化程度次于折射喷头,主要用于果园灌溉。

旋转式微喷头:由喷水口、旋转臂和支架三个部分组成,旋转臂是它的主要部件。这种微喷头的工作压力一般为15m左右,有效喷洒半径4~7m,喷水强度小,水滴微细,常用作果树、蔬菜的微喷灌,尤其适用苗圃、温室、城市花园的灌溉。

(3)渗灌。

渗灌也叫地下滴灌,它是将灌水器(渗灌管)埋入地下,根据作物需水要求,将灌溉水直接送入作物根层土壤中的一种灌水方法。与滴灌、微喷灌相比,渗灌更加节水节能,灌溉水直接送到作物根区，地表基本干燥，棵间蒸发很少，因此渗灌水的利用率最高，可达95%以上，而且渗灌工作压力低，远低于喷灌和微喷灌，节能效果显著。由于渗灌时，耕作层土壤结构完好，具有良好的透气性，因此可明显降低湿度并保持较高地温，为作物生长创造良好的环境，有利于作物越冬和早熟，减少或防止病虫害的发生，改善产品品质，提高产品产量。但是渗灌抗堵塞性能差，由于灌水器是埋在地下，导致堵塞发生率高，而且堵塞后维修较为困难。由于全部管网埋入地下，方便了田间耕作管理，避免了管材的光辐射老化，并可抑制杂草生长和作物病虫害传播。渗灌的毛管采用的主要材料有：

①塑料管打孔：带滴头毛管，滴灌带及地上滴灌系统埋入地下使用，其流量受土壤含水量大小及制造精度影响很大。

②渗灌瓦管：用黏土烧制而成，每条渗灌管由100～200节瓦管连接而成，接头外容易漏水，因此瓦管流量均匀度很低，而且造价较高。

③管壁发泡微孔塑料渗灌管：它是利用废旧橡胶和特殊添加剂生产的产品，管壁上形成肉眼看不见的细小弯曲的透水微孔。其百米渗灌管流量均匀度达0.82～0.93，符合微灌技术要求。

由于渗灌技术不如滴灌、微喷灌成熟，应在严重干旱、水源奇缺、水价较高的地区或土壤保水能力较强的地块，选择优质成龄果树、花卉、药材、棉花等经济作物小面积进行试验示范，对小麦等大田粮食作物目前尚不宜大面积推广。

第五章　灌区泥沙处理方式分析论证

黄河是一条多泥沙河流，引黄必引沙，引沙就必须处理泥沙。因此，泥沙问题是引黄灌区长期存在的问题之一。人民胜利渠灌区从开灌初期就很重视泥沙问题的研究。特别是在“六五”、“七五”、“八五”期间，进行了大量有益的试验和探索，积累了大量资料，取得了许多成功经验和成果。诸如：口门防沙；建沉沙池处理较粗泥沙；改造渠系，提高渠道挟沙能力，减少渠道淤积，努力输沙至田；控制和处理退水，减少排水系统淤积等，都是灌区处理和利用泥沙的有效办法。

但随着时间的推移，黄河来水来沙情况及灌区泥沙处理的条件发生了巨大变化。就沉沙池来讲，开灌初期，总干渠上游有大量的低洼地可供作沉沙池用，人民胜利渠灌区运用前30年，沉沙池处理泥沙占渠首引进泥沙的36%。至1988年，沉沙池已全部还耕。就征用耕地修建专用沉沙池来讲，当地群众反对，且工程耗费巨大，短期内难以实现。目前，灌区被迫实行完全浑水灌溉，但渠道挟沙能力严重不足，结果造成灌区渠道的严重淤积，因此，亟需对灌区工程进行技术改造。

本次研究的目的是，在掌握黄河不同时期来水来沙情况、渠首引水引沙现状、灌区水沙分配和分布规律的基础上，总结分析灌区以往泥沙处理的成功经验，提出新的形势下灌区泥沙处理的对策和实现的具体条件，为灌区技术改造提供科学依据。

5.1 灌区泥沙基本情况

5.1.1 引水引沙量

人民胜利渠历年的引水引沙量,是因情况不同而变化的。1962 年以前曾有计划地向卫河送水,1972 年 12 月至 1982 年 1 月共送水 4 次,济津水量 8.97 亿 m^3,1986 年以来利用非灌溉季节向滑县、浚县等地补充地下水面积约 4 万 hm^2。因此,在这样的年份,引水引沙量就大。现将自开灌至 1996 年水沙资料列于表 5-1,并划分成 3 个时段,各时段引水引沙量见表 5-2。从表 5-2可以看出,三个时段的年引水量相差不大,后 11 年与开灌前 30 年更接近;而引水平均含沙量前 30 年与后两个时段相比明显偏高,引水天数后 11 年与前两个时段相差很大。这里有两个原因:其一是近些年常向灌区外送水补源,增加引水天数;其二是近些年灌区向新乡市供水,流量不大但细水长流,这是增加引水天数、引水量不大的直接原因,也是总干渠、东二干渠淤积的症结所在。

5.1.2 淤积分布

人民胜利渠开灌近 50 年来,由于渠系的改造、处理泥沙条件的改变和局部地形变化,对灌区泥沙淤积分布影响很大。第一时段:由开灌初的 1952 年到 1981 年,前期渠道基本为土渠,渠道糙率大,由于田地未经淤灌,整个渠系的比降较大,可供沉沙用的背河洼地较多,便于集中处理泥沙,引入渠首闸的泥沙有 36% 淤积在沉沙池中;后期(20 世纪 70 年代后)渠道衬砌比重加大,渠道挟沙能力有所提高,沉沙池拦沙量有所下降。但整个时段沉沙池仍是处理泥沙的重要组成部分。第二时段:从 1982 年到 1984 年,该阶段渠道(包括干、支、斗、农)衬砌率进一步提高,渠道糙率减小,挟沙能力增大,处理泥沙主要是利用沉沙池和输沙至田并举。第三时段:由 1986 年到 1996 年,渠道硬化增加,但经过四五十年的灌溉,地面普遍增高,渠道比降减小,能够作为沉沙池的洼地愈来愈少，不能集中处理泥沙。这一阶段引进的泥沙主要集中在灌溉渠道和田间。各阶段淤积分布见表5－3。

表5－1　人民胜利渠灌区逐年引水引沙量

年份	渠首引水		渠首引沙	
	天数	引水量（亿 m^3）	沙量（万 t）	引水平均含沙量（kg/m^3）
1952	176	4.052	503	12.4
1953	251	4.625	671	14.5
1954	272	3.581	496	13.9
1955	193	3.782	408	10.8
1956	296	5.028	409	8.1
1957	312	10.038	2 071	2.06
1958	308	12.670	2 737	21.6
1959	350	17.049	5 062	19.7
1960	358	16.625	3 060	18.4
1961	310	10.389	966	9.3
1962	99	3.039	289	9.5
1963	47	0.585	47.5	8.1
1964	19	0.136	16	11.8
1965	264	2.978	328	11.0
1966	177	5.389	1 218	22.6
1967	145	3.597	493	13.7
1968	213	3.514	526	15.0
1969	119	2.969	357	12.0
1970	156	3.970	455	11.4
1971	155	4.215	632	15.0
1972	183	5.602	700	12.5
1973	193	6.662	811	12.2

续表 5－1

年份	渠首引水		渠首引沙	
	天数	引水量（亿 m^3）	沙量（万 t）	引水平均含沙量（kg/m^3）
1974	179	5.793	1 373	23.7
1975	214	7.396	918	12.4
1976	293	9.654	1 008	10.4
1977	210	7.330	953.5	13.0
1978	309	8.000	899	11.2
1979	236	5.893	933.8	15.9
1980	213	7.061	1 221.4	17.3
1981	295	11.348	1 646	14.5
1982	248	7.469	654.6	8.76
1983	154	3.851	420.1	10.91
1984	245	4.874	645.9	13.25
1985	193	4.664	573.4	12.29
1986	271	6.385	540.3	8.46
1987	296	8.208	1 101.7	13.40
1988	280	6.095	576.3	9.46
1989	290	6.729	760.7	11.30
1990	259	5.106	714.0	13.98
1991	257	7.205	1 158.2	19.07
1992	261	6.422	997.7	15.54
1993	242	5.759	532.5	9.24
1994	243	6.364	908.2	14.27
1995	276	6.816	707.0	10.37
1996	264	5.810	640.2	11.02

表 5-2　人民胜利渠渠首闸年引水引沙量

时段(年)	引水天数	水量(万 m^3)	沙量(万 t)	引水平均含沙量(kg/m^3)
1952~1981	218	64 323	1 040.3	16.17
1982~1984	187	54 132	430	7.94
1986~1996	262	64 058	782	12.21

从表 5-3 可以看出,1986~1996 年,由于没有沉沙池集中处理泥沙,渠道淤积大大加重。据灌区统计,总干渠从开灌到 1987 年,基本维持冲淤平衡,1988 年即发生淤积,局部清淤 8 万 m^3,1990~1992 年总干渠又连年清淤,清淤量分别为:2.52 万 m^3、1.59万 m^3、30.73 万 m^3,1994 年与 1996 年淤积更为严重,清淤量分别达 45.63 万 m^3、41.55 万 m^3。东一、东二、西一干渠,近些年几乎也是年年清淤,清淤量均在 4 万~15 万 m^3 之间,东三干渠淤积最为严重,年清淤量最高达 50 万 m^3。由此可见,总干渠、干渠的严重淤积对灌区的生存与发展构成了严重威胁。

表 5-3　灌区泥沙年平均淤积分布

时段(年)		沉沙池	各级渠道	田间	区内排水渠	退入卫河	合计
1952~1981	淤积量(万 t)	374.51	228.87	208.6	52.02	176.85	1 040.31
	占引入量(%)	36	22	20	5	17	100
1982~1984	淤积量(万 t)	96.52	75.55	149.17	42.40	66.32	430
	占引入量(%)	22.43	17.57	34.69	9.86	15.42	100
1986~1996	淤积量(万 t)	0	323.42	367.68	34.39	56.85	782.34
	占引入量(%)	0	41.34	47.00	4.40	7.27	100

5.2　水沙条件的变化

人民胜利渠灌区开灌已近半个世纪,水沙条件已明显改变,随着生产的发展,用水量不断增加,沿黄各地对黄河水的需求大大增加,水源不足矛盾日益突出。人民胜利渠灌区的引水也由按需引水变成了以供定需,干渠过水流量经常低于设计流量,挟沙能力受到影响。三门峡水库1973年改建完成后,采取蓄清排浑运用方式,对黄河下游水沙分布产生了一定影响。非汛期蓄水发电,泥沙沉积在水库中,汛期泄洪以保持水库冲淤平衡,使黄河下游非汛期含沙量减小,汛期含沙量增大。三门峡水库运行前后典型年(1958年与1978年)月平均含沙量(花园口站)的比值见表5-4。从表5-4中可以看出,1958年与1978年月平均含沙量的比值除汛期两个月小于1以外,其余月份均大于1,一般在2~3.5之间,最大达4.42。另外,姜乃迁、侯素珍在"1974~1986水文年黄河下游河道淤积及演变分析"一文中(《人民黄河》1990年第3期),列出了黄河下游在三门峡建库前的1919年到1986年及三门峡水库实行蓄清排浑运用方式的1974年到1986年两个时段的过水量、输沙量以及含沙量资料,经换算可得表5-5。从表5-5可以看出,三门峡水库实行蓄清排浑运用方式后,黄河下游来沙量明显减少,特别是非汛期三门峡水库蓄水发电排出的几乎是清水。两方面的资料均表明,三门峡水库实行蓄清排浑运用方式后,改变了黄河下游的来水来沙条件,大大降低了黄河下游引黄灌区的引水含沙量及灌区泥沙处理的负担。

表5-4 三门峡水库运用前后典型年黄河月平均含沙量对比(花园口站)

月份	1	2	3	4	5	6	7	8	9	10	11	12
1958年(kg/m^3)	6.92	10.3	12.1	18.4	15.4	17.4	68.5	71.7	35.4	22.4	21.5	10.42
1978年(kg/m^3)	3.79	2.42	4.53	4.16	4.43	5.36	99.4	59.6	44.0	18.2	10.0	6.54
1958年/1978年	1.83	4.24	2.67	4.42	3.48	3.25	0.69	1.20	0.80	1.23	2.15	1.59

注:三门峡水库1960年开始蓄水,1973年打通底孔,改造完成。

表 5－5　三门峡水库建库前后黄河下游年均来水来沙变化情况

时　段		水量（亿 m^3）	沙量（亿 t）	含沙量（kg/m^3）
汛期	1919～1973 年	284	14.03	49.40
	1974～1986 年	247	10.18	41.2
非汛期	1919～1973 年	187	2.44	13.05
	1974～1986 年	171	0.30	1.75
全年	1919～1973 年	471	16.47	34.97
	1974～1986 年	418	10.48	25.0

小浪底水库投入运用后，对黄河下游水沙条件的改变将更为明显，这主要取决于小浪底水库的运用方式。小浪底水库的运用方式是以减淤运用为主导，统筹水库多目标运用，以最大减淤效益为优先目标，发挥最大综合经济效益。在 7～9 月进行调水调沙拦沙，以获得最大减淤效益；在 10 月至次年 6 月调节期，充分利用水库的调蓄能力，将水量在时间上优化分配，以获得最大灌溉效益。小浪底水库运用方式分为两个阶段：

第一阶段，拦沙运用 30 年：建成后头 2～3 年为蓄水拦沙，大部分泥沙拦在库内；中间 12～13 年使来沙中的 60%～70% 粗颗粒泥沙拦在库内；后 14～15 年，当淤积高程达 245m，进入逐步形成高滩深槽的调水调沙拦沙阶段，此时，继续淤高滩地，使坝前滩面高程达到 254m，在大水时，冲刷下切河槽，靠丰水年份完成深槽河底降至设计高程 226.2m。

第二阶段，水库正常运用期：此时水库保持长期有效库容 51 亿 m^3，其中滩面（254m）以上 41 亿 m^3 为防洪库容，滩面以下 10 亿 m^3 槽库容为调水调沙库容，进行多年调沙。出库沙量基本恢复到天然状态，近似于三门峡水库蓄清排浑运用方式，但由于其巨大的水沙调节库容，其水沙调节的时间回旋能力远大于三门峡水库。

从小浪底水库的运用方式来看，在初期拦沙运用 30 年内，黄河下游河道的来沙量特别是粗颗粒沙量较仅有三门峡蓄清排浑运用方式还会有相当减少。对于下游各引黄灌区,在流量、比降适当的情况下,不仅混凝土衬砌渠道不会淤积,土渠亦可能不会淤积,甚至还会有冲刷的现象发生,这必将大大减轻黄河下游各引黄灌区的泥沙处理负担。水库进入正常运用期后,出库沙量基本恢复到天然状态,其对下游河道的来水来沙条件影响,近似于三门峡水库蓄清排浑运用方式。从小浪底水库第一阶段运用方式考虑,必将降低黄河下游各引黄灌区的泥沙处理规划标准。但从长远来看,黄河下游各引黄灌区的泥沙处理规划,应从小浪底水库正常运用期,即三门峡水库蓄清排浑运用方式对黄河下游河道的来水来沙条件的影响来规划。

5.3 灌区泥沙处理的主要经验

5.3.1 减少入渠泥沙

半个世纪以来,人民胜利渠灌区为减少泥沙入渠采取了多种多样的办法。尽管目前该问题还没有彻底解决,但思路已探索出来了,那就是对待泥沙问题必须采取综合措施。在渠首要做好防止泥沙过多地通过闸门进入灌区,在灌区要选用合理的灌溉引水计划,同时地下水地表水联合运用,以减少对黄河水的依赖性。

5.3.1.1 渠首防沙

人民胜利渠渠首闸前黄河宽3.5km,属游荡性河段,渠首引水方式为无坝引水。开灌初期黄河大溜通过渠首闸前,能够保证正常引水,防沙措施主要是利用环流理论,采取一系列工程措施。

(1)凹岸建闸,锐角引水。

人民胜利渠渠首闸的位置选择,是经过中外许多专家慎重考虑后才决定下来的。引水地点的选定主要是考虑两个因素:一是靠溜,二是有利于防止泥沙入渠。最后确定的建闸位置位于当时主流凹岸顶冲点下游,根据挟沙水流的弯道环流理论,渠首闸位置的确定是合理的。如渠轴线与黄河主流修成90°夹角,这样当渠道自河流侧面引水时,河中水流发生弯曲而产生横向环流,含沙量较高的低层水流比含沙量较低的表层水流能更多地进入引水渠口;另一方面,河道中表层水流流速比底部水流流速为高,即表面水流具有较大的惯性,随河道主流向下流动。因此,要使动量较大的表层水流改变方向流向引水口,远比动量较小的底层水流困难。流速沿水深分布是上大下小,因此自上而下各层水流进入引水口的宽度是逐渐增加的。当渠轴线与大河主流保持一个锐角的交角时,进入渠道的水流流线曲率小,惯性作用也小,横向环流弱,比直角相交时引水的分沙比要小。从凹岸建闸、锐角引水的效果来看,对减少泥沙入渠的作用是很明显的。1952年入渠平均含沙量占相应时期黄河平均含沙量的78%,1953年占79%,少引进泥沙达20%以上。

(2)安装导流系统。

1955年,引黄管理局在水利部专家的指导下,完成"波达波夫导流系统"的设计,1956年4月完成安装,9月投入使用。

安装导流系统的目的是使渠首闸前水流流向顺直,枯水期也不出滩,同时使引入渠首闸的水为表流,含沙量比较小。

安装以后,对其使用效果组织了专门的观测,在未使用导流系统以前,入渠含沙量占黄河北股含沙量的97%~110%;在使用并正常工作的情况下,入渠含沙量占黄河含沙量的平均值为68.49%。可见使用效果还是很好的,可惜使用时间太短,1956年9月开始使用,10月便因黄河大溜南徙而停用。

5.3.1.2 调整引水时间,减少引沙量

从黄河泥沙的年内变化可以看出,如果能减少汛期的引水量,特别是在三门峡水库排沙期引水,无疑会大大减少引入渠系的泥沙数量。

这种设想在20世纪50年代是不可能实现的,因为那时灌溉

尚属单一水源，什么时候出现干旱什么时候便要开闸引黄。而现在有了新的条件，即60年代起灌区已普遍建成了井灌系统。井灌是以地下水为水源的，地下水的补给一靠自然降水补给，二靠用黄河水进行灌溉时的入渗补给。根据多年水量平衡计算区的观测，为了维持灌区水量平衡，井灌用水量应占年总用水量的34%左右。

汛期降水量多，灌溉几率低，当黄河含沙量大时，停止引黄，采取井灌。仅此一项，便可以把引沙量减少一半以上。

三门峡水库运用以后，采取春季多引黄、汛期少引黄、洪水时不引黄的办法。结果表明，多年平均渠首引水含沙量与相应年份内黄河水的含沙量的比值为0.55。

当然不能把汛期少引水看作绝对的好事。如果为了放淤改土，淤灌种稻，或为了抗御特大的干旱，缓和抽水能源供应的紧张，是否开闸引黄，还要灵活掌握，要算经济账。一般情况下，汛期多用井灌是最经济的。

5.3.2 妥善处理入渠泥沙

1988年以前，处理入渠泥沙主要是采用沉沙池处理粗沙、将细沙下送入田的办法，包括工程措施和管理措施两个方面。

5.3.2.1 工程措施

(1)利用低洼盐碱荒地修建自流沉沙池处理较粗泥沙。

人民胜利渠利用沉沙池处理泥沙，实践证明是行之有效的。人民胜利渠前30年沉沙池处理泥沙占引入泥沙的36%，多年来，在沉沙池运用管理方面积累了丰富的经验。如利用小型条形沉沙池，以减少占地损失；以不淤积渠道为标准，实行清浑水掺合灌溉，以延长沉沙池的使用时间；沉沙与改土相结合，还耕前利用汛期泥多沙少的特点，在表层淤积一定厚度的细泥以利于农作物生长等。

(2)合理规划渠系，努力输沙到田。

人民胜利渠灌区经过近50年的实践证明，它的规划设计，从整体上看是成功的、合理的，管理运用也是较好的，但是在运用中仍发现存在一些局部不合理之处。例如，在降低灌溉成本、有利于输沙以减少渠道淤积等方面，尚未能很好挖掘可能利用的有利地形条件。

20世纪70年代末和80年代初，灌区管理局根据运用实践中的问题，对灌区工程进行了重新规划。1984年对总干渠以东的东一、新磁系统和西三干引水线路等作了较好的调整，达到了抬高灌溉引水水位、增大渠道比降、减少渠道淤积、扩大灌溉面积、降低灌溉成本、充分挖掘地形潜力等多重目的和效果。

另一措施是，归并引水口门，提高引水水位。充分利用上下地貌单元的有利落差，尽可能等距离建闸引水，提高引水水位和渠道坡降，减轻渠道淤积，增建扬水站，减少节制壅水。在下游引黄地区，因地形平坦开阔，按规划设计的渠道开渠引水，一般都能使绝大部分面积得到自流灌溉。但是，由于黄河下游是冲积平原，在大面积内存在大平小不平的微地形地貌地带，为了一些局部地带的自流灌溉，往往需要放缓渠道比降，或者修建节制闸壅水，结果虽然满足了局部土地的自流灌溉，却带来了渠道的严重淤积。因此，在多沙渠道上，对于局部高地，不宜强求自流引水灌溉，应适当增加一些提水站，搞提水灌溉，也是减少渠道淤积的有效措施之一。

(3)衬砌渠道，提高挟沙能力。

逐步进行渠道硬化衬砌、提高水流输沙能力，对一些重要的骨干输水渠道进行衬砌，减少这些渠道的水量损失和泥沙淤积。逐步进行斗、农等下级渠道的硬化衬砌，努力输沙到田。

5.3.2.2 管理措施

除利用各种工程措施增大泥沙的输移能力外，加强用水管理，也是减少泥沙淤积的重要方面。人民胜利渠近50年的用水管理经验证明，管理措施得当，不仅可以减少渠道淤积，增大输沙至田数量，而且对提高用水效率，增加灌溉效益也具有重要作用。

造成渠道淤积的原因除工程设施条件不善(如渠道纵坡小、水流挟沙能力低、断面设计不合理)造成渠道淤积外,用水调配不合理、渠道引水流量过低、渠堤养护管理差、闸门漏水等,也是造成渠道淤积、加重清淤负担的主要原因。为此,灌区一贯都很重视管理方面的工作,制定了一系列的管理措施,逐步完善了用水管理制度。这对于提高灌区用水效率,减少渠道淤积,增大输沙至田数量都起到了积极作用。具体措施如下:

(1)合理调配水量,集中用水,提高水流挟沙能力:①充分满足渠道设计的引水流量;②调配水量时首先满足易淤积或流量小、灌溉面积大、灌水时间长的渠道用水;③改变轮灌组合,使分流后的流量不致过小,或者重新调配轮灌组合,实行集中用水。

(2)加强用水管理监督,机动调控水量,增大输沙至田数量:①严格掌握闸门相互启闭关系,摸索不同作用闸门先后启闭的顺序及其相互影响;②掌握清浑水搭配规律;③稳定渠道引水流量,杜绝闸门漏水;④加强渠道养护,防止因坍塌变形使渠道形态阻力增大造成的渠道淤积。

5.4 目前灌区泥沙处理存在的主要问题

5.4.1 引水渠

20 世纪 50 年代前期,黄河主流靠北,流经人民胜利渠渠首闸前,1956 年 11 月主流开始南滚,后来滚到邙山脚下,迫使人民胜利渠从废铁桥处引回流水,在渠首闸前形成 2km 长的引水渠,即现在的引水渠。引水渠在黄河滩内迂回弯曲,灌溉输水时坍塌严重,大量泥沙带入灌区;停水时,经常淤积,特别是引水口常被淤死,在每次灌溉前,都要提早拉引水渠,被迫把所挟大量泥沙退入卫河,造成严重淤积,使卫河的雨水和污水排泄困难,威胁新乡市区汛期安全和人民健康。近年来,新乡市政府明文规定限制人民胜利渠向卫河退水,引水渠的淤积问题已经成为威胁灌区运行的重大问题。因此,急需对引水渠进行口门防沙、渠道取直和加固处理。

5.4.2　沉沙条件

人民胜利渠开灌以来,在灌区上游黄河大堤以北的洼地,修建沉沙池0.25万 hm^2(不含原延封灌区在这里修的沉沙池),沉沙4 892万 m^3,占引沙量的14.5%,在处理泥沙方面发挥了重要作用。但目前这里的洼地,已普淤一遍,平均淤高1.93m,荒地都变成了稻田,所以在灌区上游已找不到适宜的沉沙位置。1982年在原阳县王录村西北修建的两个条池,都是在原沉沙池上搞二次复淤,落淤厚度1m左右。但这种池子投资大,效益低,当地群众反对。自1988年王录2号条池还耕后,人民胜利渠灌区就没有了泥沙处理系统,被迫实行完全浑水灌溉,结果造成灌排渠道的严重淤积。

5.4.3　灌溉工程设施

人民胜利渠在1951~1953年修建了完整的灌溉系统,使工程效益发挥得很好。但1958年后搞"大引、大蓄、大灌"造成了土壤次生盐碱化,1961年灌区绝大部分被迫停灌,机构被撤销,人员被调走,宣布停灌的地方渠道平毁种地、建筑物拆除,这次挫折使人民胜利渠付出了昂贵的代价。目前,人民胜利渠灌区工程体系大体由三部分组成:第一部分,是1961年停灌时保留下来的,这部分工程已用了近50年,工程失修,设施老化,急待更新改造。第二部分,是1961年停灌破坏后又恢复起来的,这部分工程主要是群众自力更生修复的,因经济困难和缺乏统一组织,使工程修得质量很低,且配套不全,有不少支、斗、农渠只恢复了上段,同时,在干支渠上遍布加斗、加农、加毛,形成蜈蚣式的干支渠,难以充分发挥工程效益。这也是灌区效益衰减的原因之一,这部分工程急需完善配套。第三部分,是1979年后扩建的,所谓扩建,实际都是20世纪50年代浇过的地方,兴井废渠,超量开采,使这些地方地下水入不敷出,形成漏斗,提水困难,又被迫要求引黄灌溉。但在扩建过程中,国家主要投资搞了干渠,支渠以下面上配套搞得很差,工程效益难以发挥。这部分工程当务之急是搞面上配套。

总的来看,人民胜利渠灌区的灌溉工程设施与浑水灌溉、输沙到田的要求极不相适应。渠道挟沙能力低,特别是干级以上渠道,1988 年沉沙池还耕以后,淤积严重,几乎年年清淤,给灌区及灌区人民带来沉重的经济负担。衬砌渠道,提高渠道输沙能力,对灌区实行全面技术改造势在必行。

5.5 今后灌区泥沙处理两种可能方式的分析

5.5.1 集中与分散相结合处理灌区泥沙

集中与分散相结合处理灌区泥沙,就是重新修建沉沙池,将粗颗粒泥沙集中放在沉沙池中,将细颗粒泥沙输送到支渠以下各级渠道(包括支渠)及田间。目前,人民胜利渠灌区已无低洼盐碱荒地可供修沉沙池用,无论是修建自流沉沙池还是修建以挖待沉专用沉沙池,均需征用良田。根据 20 世纪 90 年代初灌区泥沙处理规划可行性研究报告分析,人民胜利渠灌区修建自流沉沙池、机械以挖待沉沉沙池或人工以挖待沉沉沙池集中处理灌区泥沙三种方案,其使用年限及投资估算分别如下(不含渠首引水渠及骨干工程改造)。

5.5.1.1 自流沉沙

自流沉沙池规划,要求还耕后仍能自流,淤积滩面高程只能定在设计水位 0.5m 以下。根据人民胜利渠现有水头及地形条件,自流沉沙池宜在东一、东二、东三三个区域分别修建。东一灌区控制面积 2.22 万 hm^2,年设计引水 1.398 亿 m^3,引水含沙量按灌区避沙峰引水比较准确的 1986 ~ 1996 年的 12.21kg/m^3 计(下同),年引沙 170.7 万 t,沉沙池处理 3kg/m^3 较粗泥沙(下同),则沉沙池年处理沙量 41.94 万 t,折合 32.26 万 m^3。东一灌区可在卞庄规划 3 个条池,共占地 340.7hm^2,其中永久占地 2.1hm^2(引水渠),沉沙池淹没和围堤占地338.6hm^2,总容积384万m^3,可使用12年。根据当地当时工程预算及占地赔偿价格(下同),工程总投资1 378.58万元,其中工程费860.96万元、淹没赔偿费(含围堤)517.62万元,平均每立方米沉沙容积3.59元,每立方米水泥沙处理费0.009 9元;东二灌区、东三灌区控制面积分别为1.28万hm^2、3.45万hm^2,年设计引水分别为8 814万m^3、2.38亿m^3,年共引沙398.22万t,沉沙池年处理沙量97.84万t,折合75.26万m^3。东二灌区、东三灌区可在祝楼规划沉沙池共1 334.5hm^2,其中引水渠永久占地41.5hm^2、沉沙池淹没和围堤占地1 292.9hm^2,总容积1 803万m^3,平均可使用24年。其中东三灌区祝楼沉沙池和引退水渠工程总投资5 172.81万元,其中工程费2 562.21万元、淹没赔偿费(含围堤)2 610.60万元,平均每立方米沉沙容积3.90元,每立方米水泥沙处理费0.009 2元。当时只是给东二灌区预留了253hm^{2}的沉沙面积,容积约506万m^3,没做具体估算,若按东三灌区每立方米沉沙容积3.90元套算,约需工程总投资1 973.4万元。以上三项合计,自流沉沙方案沉沙池投资约需8 524.79万元。

5.5.1.2　机械以挖待沉

机械以挖待沉原计划在总干渠1号跌水上游引水,在总干渠以东布置两个沉沙条池,轮流使用,用挖泥船,结合黄河大堤淤临淤背(临河堆高7~9m,背河堆高9~12m,距黄河大堤顶高1m)来处理泥沙。机械以挖待沉的控制面积,除白马、倒灌的0.336万hm^{2}外,其余9.144万hm^{2}全部在内,年设计引水5亿m^3,处理泥沙数量仍按3kg/m^3,则年处理泥沙150万t,合115万m^3。当时机械以挖待沉方案按20年考虑,共规划四个排淤场,面积2.57km^2,平均淤高9.03m,容积2 320万m^3,平均每年占地12.9hm^2。工程总投资15 987.6万元,其中工程投资(含机械设备)7 457.23万元、20年挖淤工程运转费8 530.37万元,每立方米沉沙费6.96

元,每立方米水泥沙处理费 0.016 元。

5.5.1.3 人工以挖待沉

人工以挖待沉方案是借鉴山东位山及潘庄两大引黄灌区的经验,即每年冬春组织 5 万~10 万人,到沉沙池输水渠内挖淤,把泥沙堆成 4m 高的人造高地,然后在人造高地上灌排配套,恢复生产。据介绍,他们之所以这样做,是因为灌区地面比降较缓,工程布置灌排合一,要求沉沙量大,自流沉沙无法解决,人工以挖待沉方案是可行办法的较好选择。而人民胜利渠灌区是有沉沙条件的,为进行费用比较,当时灌区对人工以挖待沉方案也进行了规划。该规划控制面积与机械以挖待沉方案相同,只是沉沙位置及堆淤位置不同,年过水 4.7 亿 m^3,据当时规划,人工以挖待沉方案,使用 20 年需投资 16 932.41 万元,每立方米沉沙费 7.81 元,比自流沉沙、机械以挖待沉沉沙费用大。

以上三种方案,在投资方面,自流沉沙东一、东二、东三灌区平均每立方米沉沙费 3.90 元;机械以挖待沉,每立方米沉沙费 6.96 元,高于自流 78.2%;人工以挖待沉,每立方米沉沙费 7.81 元,高于自流 100%,高于机械 12.2%。在恢复生产方面,自流沉沙还耕后,仍能自流,对生产影响不大;而机械排淤场,平均堆高 9m,仅低于黄河大堤 1~1.5m,难以恢复农业生产,只能改为果园,每公顷灌溉配套和扶持生产费合 18 000 元;人工排淤升高 4m,变成人造高地,恢复生产和灌溉配套费每公顷亦约 18 000 元,但永远不能自流,后遗症大。

通过比较,集中处理灌区泥沙以自流沉沙方案为宜。但目前人民胜利渠灌区无论修建哪种沉沙池,难度都越来越大。2001 年,祝楼沉沙池历经 4 年时间终于建成,之所以用这么长时间,主要是地方阻力太大。从效益来讲,沉沙池能够处理灌区泥沙,减轻灌区渠道淤积,但必然造成巨大的水量渗漏损失。在目前水资源短缺日益严重的形势下,修建沉沙池处理灌区泥沙,已不合时宜。

5.5.2 浑水灌溉处理灌区泥沙

浑水灌溉处理灌区泥沙方式，就是对灌区渠道进行以渠系调整、断面优化、混凝土衬砌为中心的节水技术改造，充分挖掘地形潜力，加大渠道比降，提高渠道挟沙能力，使之能够适应灌区农业最低需水要求的引水保证率，达到输粗沙至支渠以下各级渠道（含支渠）而细沙入田的目的。

目前灌区实行浑水灌溉的主要问题是渠道挟沙能力不足。特别是东三干渠，渠线长，比降缓，因此应做好灌区节水技术改造，将灌区渠道特别是干级渠道全部实行混凝土衬砌，并最大限度地调整渠道比降，同时加强用水管理，渠井结合，充分利用黄河非汛期80%的低含沙率机会，避开汛期20%的高含沙率机会，以干级渠道冲淤平衡的含沙量控制引水含沙量。

浑水灌溉泥沙处理方式，投资无疑很大，但其是以灌区节水技术改造为主要手段的。目前，由于水资源缺口的日益扩大，国家将安排大型灌区节水技术改造计划，借此东风，将节水改造与灌区泥沙处理结合起来，对于人民胜利渠灌区解决长期以来令人头疼的泥沙淤积问题，是一个重大机遇。各级渠道的规划设计不仅要能满足自身输水挟沙的要求，还应尽可能为下级渠道的分水挟沙提供便利，充分利用地形与水头条件，加大渠道比降，渠底该抬高的抬高，渠线该调整的调整，口门该合并的合并，最大限度地为灌区的泥沙处理创造条件。

这里需要指出的是，浑水灌溉泥沙处理方式仅适用于灌区自流区域的农业灌溉用水，而灌区提水区域（如南、北分干渠）的农业灌溉用水的泥沙处理仍需要修建沉沙池，由于其分水量小，需处理沙量也小，南分干渠年需沉沙 27 万 m^3，北分干渠年需沉沙 11 万 m^3，以人工以挖待沉方案按 20 年考虑仅需投资 5 900 万元左右。本次灌区节水技术改造的规划设计，应充分考虑这一点。

从 2000 年 7 月以来总干渠 6.3km 混凝土衬砌改造完成段的

运行情况看，其挟沙能力显著提高，该段不仅不淤，且呈现出微冲刷状态。渠道的挟沙能力跟糙率有很大关系，据灌区以前的试验研究资料，渠道的糙率每降低0.001，其挟沙能力可提高20%。灌区渠道实行混凝土光滑面全断面衬砌技术改造后，在含沙量0～15kg/m^{3}以内糙率平均可比土渠降低0.004左右，仅此一项，渠道的挟沙能力即可提高80%左右。另外，渠道实行混凝土全断面衬砌，断面规整不变形，渠道的边坡亦可变陡，渠槽窄深，既有利于保证渠道的设计过水能力，亦有利于水流挟沙，渠道的挟沙能力还会有所提高。这样总干渠、干渠节水技术改造完成后将不再淤积。

人民胜利渠灌区的本次节水技术改造是脱胎换骨式的，其范围涉及骨干工程、农田工程、干支排沟及南、北分干提水灌溉区域的沉沙池等多方面，工程总投资约61 634.72万元。其效益也是显著的，具有节水、减淤、扩大灌溉面积及避免干渠两岸土地渍害等多重效益。据人民胜利渠灌区续建配套与节水改造规划报告分析计算，该项目经济内部收益率EIRR＝21%，经济净现值ENPV＝38 185.36万元，经济效益费用比EBCR＝1.74，均大于规范要求，表明该工程经济上是合理的。

综上所述，大规模修建沉沙池处理灌区泥沙已不现实，以浑水灌溉为主、局部利用沉沙池的泥沙处理方式是目前人民胜利渠灌区泥沙处理的最佳方式。

5.6 浑水灌溉泥沙处理方案探讨

5.6.1 渠道挟沙能力公式

水流挟沙能力是泥沙研究中的一个十分重要的问题，也是引黄渠道设计中一个很重要的参数。过去尽管对这一问题进行研究的人很多，但由于它所涉及的因素复杂，迄今也没有得到令人满意的通用公式，有一些半理论半经验的公式，由于受建立公式资料的限制，亦不能完全反映不同来水来沙条件下渠道挟沙能力的实际。

从水流挟沙原理看,渠道所能挟带沙量的多少,是由水流条件和来沙的颗粒组成决定的。如果水流条件一定,来水含沙量大,颗粒粗,就会发生淤积,反之,低于某一值,就会发生冲刷。只有当来水含沙量和平均粒径刚好等于某一值时,才能保持不冲不淤的相对平衡状态。实际上,在一定的引水时间内,渠道水流条件和来水泥沙组成都在不断变化,因此,平衡状态只是暂时的,只要渠道不发生大的冲刷或淤积,大体上保持冲淤平衡即可认为处于平衡状态。

人民胜利渠科研中心在"八五"期间对于引黄渠系渠道挟沙能力公式做了大量深入细致的研究工作,得出冲淤平衡状态的挟沙能力公式为:

$$\rho = 16.49 \frac{V^2}{g\omega}\left[\frac{Hi}{B}\right]^{0.5} \tag{5-1}$$

式(5-1)是以人民胜利渠总干渠、西一干、东三干渠的实测资料为主,以西一干一支、东一干小吉支及其斗、农渠的观测资料为辅推出的。因此,公式的适用范围也就是这些资料的适用范围。即:流量 0.1 ~ 40m³/s,含沙量 0.5 ~ 50kg/m³,流速 0.1 ~ 1.50m/s,平均水深 0.3 ~ 1.80m,泥沙平均粒径 $d < 0.05$mm,水面比降 0.3‰ ~ 5‰。

当然,由于小渠道观测资料不多,精度较低,在分析计算时仅供参考。流量大于 40m³/s 的资料也缺乏。因此,对于大渠道的挟沙能力计算,建议对公式做进一步的验证。

5.6.2 浑水灌溉的边界条件

浑水灌溉的边界条件包括引水含沙量、泥沙粒径组成、渠道纵横断面形态及其挟沙能力等。现分述如下。

5.6.2.1 渠首引水含沙量

在人民胜利渠目前的情况下,渠首引水含沙量非汛期大于黄河含沙量,特别在为保证引水渠畅通采取拉淤措施以后,更会使引水含沙量进一步增加,其结果是将大量的泥沙引入灌区,增加灌区

泥沙处理的负担。因此,首先必须采取有力措施将引水含沙量降下来,使引沙比接近1。根据目前的情况,渠首可采取以下措施:

(1)稳定引水渠。

引水渠是人工在黄河滩地上开挖而成的,是连接渠首闸与黄河主流的纽带。由于黄河滩地土质松软,抗冲能力差,在不同来水来沙条件下,引水渠常处在不断变化过程中,岸坡坍塌,弯道增多,弯度大,其结果不但加大了引水含沙量,而且造成引水不畅。因此必须对引水渠进行裁弯取直和必要的护砌,以提高引水渠的抗冲能力和抑制引水渠的频繁摆动,降低引水含沙量。

(2)避免引水渠单独拉淤。

非灌溉季节,为保持引水渠畅通,灌区不断放水拉淤,这是造成卫河淤积的直接原因。所以要尽量避免在非灌溉季节引水拉淤,必要时可配备清淤机械设施,在灌溉放水前,配合机械清淤拉渠,以保证灌溉引水的需要。

(3)控制引水含沙量。

避沙峰引水是控制引水含沙量的有效办法。在人民胜利渠的历史上,避沙峰引水指标曾为 15kg/m^3、20kg/m^3、40kg/m^3,"六五"期间又提出非汛期 35kg/m^3 和汛期 70kg/m^3,结论很不一致。究竟避沙峰引水的含沙量标准应该定多少才比较合适?这要看黄河来水含沙量的大小、满足灌区作物灌溉需要的程度和灌区处理泥沙的能力而定。根据黄河来水来沙特点和灌区年内的雨量分配情况,结合灌区作物需水要求,拟将非汛期避沙峰引水的保证率(即为保证不使渠道发生严重淤积而可以引水的日数占灌区需要引水日数的比例)定为95%,汛期定为80%。分析渠首1976~1990年的日引水含沙量资料(见表5-6),并绘制保证率曲线(汛期和非汛期分开)。当非汛期保证率为95%时,避沙峰引水含沙量指标为25.5kg/m^3,在汛期保证率为80%时,避沙峰引水的含沙量指标为30.7kg/m^3。这两个指标可分别作为渠首引水含沙量的控制标准,若黄河含沙量超过此值,就要关闸停止引水。

5.6.2.2 泥沙粒径组成

泥沙粒径组成是浑水灌溉的重要边界条件,其颗粒的粗细对农田而言有有害和无害之分。那么,什么样颗粒组成的泥沙才允许送至田间呢?现从如下几个方面分析确定:

表 5-6 人民胜利渠 1976~1990 年日平均引水含沙量 (单位:kg/m³)

含沙量组限(kg/m³)	次数		累计次数	
上限~下限	非汛期	汛期	非汛期	汛期
0~3	236	67	236	67
3~6	378	72	614	139
6~9	346	60	960	199
9~12	262	52	1 222	251
12~15	187	54	1 409	305
15~18	125	49	1 534	354
18~21	78	33	1 612	387
21~24	64	37	1 676	424
24~27	29	35	1 705	459
27~30	22	18	1 727	477
30~33	12	9	1 739	486
33~36	3	14	1 742	500
36~39	7	9	1 749	509
39~42	6	11	1 755	520
42~45	17	3	1 772	523
>45		51		574
合计	1 772	574		

首先,考虑泥沙分类的临界粒径。粒径为 0.000 2~0.05mm 属泥类,0.05~2mm 属沙类,0.05mm 为临界值。

其次,分析高产农田土壤的颗粒组成。我们曾在新乡县七里营、小吉两个乡的高产棉田、玉米田、水稻田等有代表性的田地里取土样做颗粒分析，其颗粒组成见表5－7。

表5－7 人民胜利渠灌区高产农田土壤颗粒组成

取样时间	取样地点	平均粒径（mm）	小于某粒径沙重之百分比（%）						
			0.10	0.075	0.05	0.025	0.015	0.01	0.005
“六五”期间取样	七里营乡刘庄1#棉田	0.028 1	100	96.3	82.0	55.4	36.9	27.1	17.4
	七里营乡刘庄2#棉田	0.028 9	100	98.2	81.3	50.1	35.9	26.0	16.6
	七里营乡刘庄玉米田	0.027 7	100	97.0	83.3	54.7	35.5	28.1	16.1
	七里营乡七里营水稻田	0.029 6	100	94.7	78.3	52.6	38.5	30.5	19.9
	七里营乡七里营玉米田	0.027 4	100	94.5	84.0	54.1	41.5	33.4	24.1
	七里营乡七里营1#棉田	0.027 8	100	95.0	80.8	56.4	42.2	31.5	21.7
	七里营乡七里营2#棉田	0.031 8	100	91.2	78.6	48.3	32.6	26.1	17.6
	小吉镇魏庄棉田	0.024 1	100	94.6	88.2	65.2	45.5	34.8	22.5
	小吉镇王屯棉田	0.027 6	100	97.2	82.3	55.4	37.8	29.9	19.1
	小吉镇王屯玉米田	0.029 2	100	95.9	81.1	51.5	35.7	27.2	18.1
1990年	七里营乡刘庄棉田	0.029 0	100		84.6	54.7		25.6	15.4
	新乡良种场麦田	0.026 8	100	91.9	82.0	61.5	41.3	35.1	24.0
平均		0.028 2	100	95.2	82.2	55.0	38.7	29.6	19.4

从表5－7中可以看出，高产田土壤颗粒组成是比较均匀的，土样平均粒径为0.024 1～0.031 8mm，平均为0.028 2mm，粒径大于0.05mm的沙重占总重的11.8%～21.7%，平均为18%。

再次是分析渠首引沙的颗粒组成，在渠首闸下游100m处断面中泓垂线水深60%处取悬移质做颗粒分析。表5－8所列成果是“六五”期间观测的渠首引沙颗粒组成逐月平均值。由于所取沙样为单沙，且在水深60%处粒径偏小。

表5－8　渠首1981～1984年平均引沙颗粒组成

月份	平均粒径（mm）	小于某粒径沙重之百分数							沙样个数
		0.10	0.075	0.05	0.025	0.015	0.01	0.005	
2	0.036 3	100	98.8	69.3	33.3	19.6	15.3	11.4	3
3	0.036 8	100	95.0	78.2	30.5	19.0	16.1	10.0	2
4	0.041 0	100	90.0	68.7	26.4	14.8	10.7	5.5	4
5	0.042 8	100	87.7	67.0	24.3	11.3	6.5	2.8	5
6	0.032 1	100	92.8	77.1	43.5	33.4	29.2	23.8	6
7	0.012 6	100	97.5	93.4	34.2	80.2	76.7	66.9	3
8	0.027 0	100	94.1	83.9	57.2	42.6	33.9	23.5	2
9	0.025 0	100	96.0	85.8	59.7	39.7	29.8	26.7	1
平均	0.031 7	100	92.7	78.0	44.9	32.6	27.3	21.3	
汛期平均	0.0215	100	95.9	87.7	67.0	54.2	46.8	39.0	
非汛期平均	0.037 8	100	90.9	72.1	31.6	19.6	15.6	10.7	

为接近实际，需用公式 $d=0.994d_0+0.0006$ 进行校正。此式是“六五”期间观测的断沙与单沙的回归方程，相关系数 $R=0.94$。式中 d 为断面平均粒径，d_0 为中泓垂线60%水深处测点的平均粒径，校正后引沙断面平均粒径见表5－9。

从表5－8、表5－9可以看出，渠首引沙平均粒径为0.013 1～0.043 1mm，平均为0.032 1mm，与高产农田平均粒径相接近。汛期平均为0.022mm，其中粒径大于0.05mm的沙重占总沙重的6.6%～16.1%，平均为12.3%，比高产农田土壤粒径细；非汛期平均为0.038 2mm，其中粒径大于0.05mm的沙重占总沙重的21.8%～33.0%，平均为27.9%，大于高产农田土壤粒径。

表5－9　校正后渠首引沙平均粒径

月份	2	3	4	5	6	7	8	9	平均	汛期平均	非汛期平均
平均粒径	0.0367	0.0372	0.0414	0.0431	0.0325	0.0131	0.0274	0.0255	0.0321	0.022	0.0382

综上所述，输沙至田间的泥沙平均粒径应小于0.032mm，其中粒径大于0.05mm的沙重百分数应控制在20%以下。这在汛期可自然得到满足，在非汛期，通过流量调控措施，只要将大于0.05mm的粗沙在支、斗、农渠中拦下40%左右，送至田间的泥沙粒径组成也基本满足其要求，灌区节水技术改造完成后，应不难做到。

关于输沙至田是否会引起地面抬高而影响自流的问题，我们进行了粗略计算，即使将沙输至田间提高到70%（550万t），而摊到灌区灌溉面积上，年抬高仅为4mm左右，影响不大。

5.6.2.3　浑水灌溉渠道的挟沙能力 ρ 及允许淤积的百分比

正确选择设计挟沙能力，是渠道设计确定其纵横断面形态的重要因素之一，同时也涉及到设计渠道的冲淤变化和经济技术指标等问题。前面分析确定了汛期、非汛期渠首引水最大含沙量控制指标，但若把此值作为挟沙能力来设计渠道，那么，在多数情况下，渠道会处于冲刷状态；若把来水平均含沙量作为设计挟沙能力，那么实际来水含沙量大于平均值的概率将达40%～48%，渠道近一半时间处于淤积状态。为使浑水灌溉渠道在设计方面做到经济合理，又能满足技术上的要求，根据黄河的水沙特点，采用冲淤平衡法设计较为合理，即对总干渠、干渠和引水渠，在汛期含沙量较大时，允许有所淤积；非汛期含沙量较小时，允许渠道在原淤积的基础上有所冲刷，年内保持冲淤平衡。对于支渠将允许通过的最大含沙量控制在19kg/m^3，允许渠道淤积5%；对于斗、农渠，将最大来水含沙量控制在12kg/m^3，允许淤积20%。

根据以上设想，把淤积平衡状态的挟沙能力$\rho_{淤} = 21.82\frac{V^2}{g\omega}\cdot\left[\frac{H}{B}i\right]^{0.5}$（注：该式是20世纪90年代初灌区在探求渠道冲淤平衡状态的挟沙能力公式进行回归分析时得出的渠道由淤积至平衡的饱和含沙量公式）。公式中$\rho_{淤}$的值定为渠道的最大来水含沙量，然后在水流条件和渠道边界条件不变的情况下，用公式$\rho = 16.49\cdot\frac{V^2}{g\omega}\cdot\left[\frac{H}{B}i\right]^{0.5}$计算渠道的挟沙能力。现将计算出的各级渠道的挟沙能力指标列入表5－10。若按表中的设计挟沙能力值设计渠道，多数情况下，引水渠不会发生大的淤积，总干渠、干渠将不再淤积，支渠淤积量小于5%，斗、农渠淤积不超过20%。

表5－10 浑水灌溉渠道的设计挟沙能力 （单位：kg/m^3）

项 目	总干渠	干 渠	支 渠	斗农渠
最大含沙量	30.7	25.0	19.0	12.0
设计挟沙能力	23.0	19.0	14.0	9.0
渠道淤积(%)	0	0	5	20

为什么支、斗、农渠允许淤积而干级渠道不允许淤积呢？这是因为干级渠道的清淤需要跨行政区域组织农民，组织比较困难，而且清淤时，灌区也需给农民补贴，费用较大；而泥沙淤积在支、斗、农渠中，由于渠道断面小，清除容易，清出来的泥沙，由群众拉回家去垫坑积肥。人民胜利渠灌溉近50年了，看不到支、斗、农渠畔有堆积的泥沙，虽然在放水前后要清理一次渠道，但灌区群众已把它纳入农事活动的日程内，并不感到是一种负担，泥沙在支、斗、农渠中淤积一部分没有什么危害。

5.6.2.4 渠道纵横断面形态

(1)横断面形态。

目前，人民胜利渠灌区的主要问题是渠道淤积，因此在渠道设计中，首先要防淤。在维持渠道不冲不淤的平衡条件下，渠道的各边界条件须满足以下几个方程，即：

水流连续方程：

$$Q = BHV \tag{5-2}$$

水流阻力方程：

$$V = \frac{R^{2/3} i^{1/2}}{n} \tag{5-3}$$

水流挟沙能力：

$$\rho = 16.49 \frac{V^2}{g\omega}\left(\frac{H}{B} i\right)^{0.5} \tag{5-4}$$

水力半径与水深关系：

$$R = 0.904H + 0.052 \tag{5-5}$$

其中式(5-5)是根据实测资料推出的经验关系式，若采用$R = 0.904H$解上述4个方程，可得到不冲不淤条件下反映渠道横断面形态的两个参数：

$$B = \left(1\,551 \frac{Q^{1.1} i^{0.95}}{g\rho\omega n^{0.9}}\right)^{1/1.6} \tag{5-6}$$

$$H = 0.066\left(\frac{Qn^5\rho g^2\omega^2}{i^{3.5}}\right)^{3/1.6} \tag{5-7}$$

式中：B 为水面宽，m；H 为平均水深，m；Q 为设计过水流量，m^3/s；ρ 为渠道设计挟沙能力，kg/m^3；n 为渠道糙率；i 为纵比降，采用小数表示，式(5-3)中 i 采用万分率；ω 为泥沙沉速，cm/s，采用 $\omega = 0.039\frac{\gamma_s-\gamma}{\gamma}g\frac{d^2}{v}$；$g$ 为重力加速度，$g=9.8m/s^2$。

在浑水渠道的设计中，可用式(5-6)、式(5-7)来确定渠道的横断面形态。

(2)纵断面形态。

渠道的纵断面形态可以用比降(或坡降)来反映，比降确定的正确与否，不但影响到渠道的横断面尺寸，而且还影响到渠道的冲淤，因此，比降是浑水灌溉渠道设计中一个重要的边界条件。比降的大小主要受当地地形条件和水位的限制，应根据具体条件，统一规划，合理调整渠系布局，在地形允许、渠道又经衬砌的条件下，尽量采用大的比降，以提高渠道的挟沙能力。根据人民胜利渠的具体条件和实行浑水灌溉的需要，提出各级渠道应满足的比降与宽深比见表5-11，可供规划设计时参考。

表5-11　浑水灌溉不同渠级的宽深比及纵比降

渠　道	引水渠	总干、干渠	支　渠	斗　渠
设计流量(m^3/s)	60~100	15~60	2~5	0.5~2.0
宽深比	8~13	7~10	5~7	2~3
纵比降	1/2500~1/3500	1/3500~1/4000	1/3000~1/4000	1/3000~1/1500

(3)糙率的影响。

渠道糙率综合反映了渠道的粗糙程度，在渠道设计时往往凭经验确定。糙率的大小，对渠道的过水能力、挟沙能力及断面形态影响甚大。根据实测资料分析，糙率不仅与渠床条件有关，而且与来水含沙量有密切的关系。我们将总干渠非衬砌段和东三干渠进水闸下游衬砌段的实测资料进行回归分析，得到如下公式：

$$\text{总干渠非衬砌段：}\frac{1}{n}=1.77S_v+49.21 \tag{5-8}$$

$$\text{东三干渠衬砌段：}\frac{1}{n}=1.05S_v+69.78 \tag{5-9}$$

式中：n 为渠道糙率；S_v 为来水含沙量，kg/m^3。

由式(5-8)、式(5-9)可知：渠道糙率随含沙量 S_v 的增大而减小，随含沙量的减小而增大。将上述二式计算结果列入表5-12中。

表5-12　渠道糙率随含沙量的变化规律

含沙量(kg/m^3)	0	5	10	15
总干非衬砌段 n	0.020 3	0.017 2	0.014 9	0.013 2
东三干衬砌段 n	0.014 3	0.013 3	0.012 5	0.011 7

从表5-12中可以看出，衬砌和非衬砌渠道的糙率都受含沙量的影响，并且非衬砌渠道糙率受含沙量的影响比衬砌渠道还要大。

糙率对渠道挟沙能力影响很大。目前，人民胜利渠设计渠道时采用的糙率为土渠0.02，衬砌0.016。这与表5-12中的糙率值明显偏大，建议今后在浑水灌溉渠道设计时，总干渠、干渠非衬砌渠段糙率选用0.015，衬砌渠段选用0.013。

(4)衬砌渠道的断面形式。

随着节水和防渗的需要，开展灌溉渠道衬砌已越来越迫切。特别是人民胜利渠灌区在国家“六五”、“七五”及“八五”期间进行的试区综合技术改造中，对支、斗、农渠普遍采用U型断面，在节水减淤中发挥了重要作用，今后开展浑水灌溉渠道设计时，配水渠系仍宜采用U型渠槽。

5.6.3 浑水灌溉的管理措施

人民胜利渠渠首为无坝引水，没有防沙措施，加上近些年来灌区没有沉沙池处理入渠泥沙，因此渠系淤积比较严重，给正常灌溉造成了严重的威胁。实践证明，如果在灌区管理方面采取积极的措施，虽不可能彻底解决渠道淤积问题，但对减轻泥沙的淤积程度还是有效的。

5.6.3.1 加强引水渠的管理

自1961年黄河主流南移后，人民胜利渠渠首闸与黄河主流是通过一条3.5km长的引水渠来连接的。由于渠首闸底板高程比黄河河底低2m多，因此，引水渠的比降较大。当渠首开闸引水时，引水渠流速大，造成渠底冲刷，渠岸坍塌；当渠首闭闸停水时，引水渠又极易淤积。目前，为了保持引水渠畅通，非灌溉时期也要引水拉淤。一般拉一次淤需2~3天，引水流量$50m^3/s$左右，通过拉淤，每次要多向灌区引入泥沙3万~6万m^3。因此，采取有效措施避免单独拉引水渠，把拉引水渠与灌溉引水结合起来，必要时可配合机械清淤措施。加强引水渠的管理，还要对容易塌岸的渠段进行必要的护砌，以便稳定渠床、减少拉淤。

5.6.3.2 实行渠井结合灌溉

渠井结合灌溉，是解决旱、涝、碱的重要手段，也是减少渠道引水、减轻渠道淤积的有效办法。在灌区不是普遍干旱的情况下，渠道尽量不放或少放水，号召群众用井灌，以减少引水引沙量，减轻渠道淤积。

5.6.3.3 严格执行避沙峰引水

避沙峰引水是减少泥沙入渠的重要措施，在目前灌区干级渠道（总干渠、干渠）技术改造刚刚起步的情况下，大部分干级渠道未经衬砌，挟沙能力较低，又没有沉沙池处理入渠泥沙，更应坚决执行这一措施。避沙峰引水的含沙量指标，目前可按允许引入沙量的 80% 控制,也就是汛期为 25kg/m^3 左右、非汛期为 20kg/m^3 左右。

5.6.3.4 实行集中用水,分组轮灌

集中用水,分组轮灌,是人民胜利渠 50 年来的经验总结,是减少渠道淤积行之有效的办法。沉沙池停用后,渠道淤积量普遍增加,除了客观原因外,就是没有很好地坚持这一行之有效的管理制度。

5.7 小结

(1)新的形势下,浑水灌溉泥沙处理方式是灌区泥沙处理的必然选择,且需工程措施和管理措施双管齐下。

工程措施方面:加速灌区以泥沙处理为重点的全面节水技术改造。改造和加固引水渠,稳定引沙比;充分挖掘灌区地形潜力和水头条件,加大渠道比降;对灌区渠系实行渠系调整、口门合并、断面优化、混凝土衬砌,提高渠道挟沙能力。

管理措施方面:加强用水管理。加强引水渠管理,避免单独拉沙;严格执行避沙峰引水,以干级渠道冲淤平衡的含沙量控制引水含沙量;实行集中用水,合理分组轮灌,把水量调配建立在泥沙合理淤积的基础上(干渠不淤,支、斗、农渠淤积部分粗沙);渠井结合,充分发挥灌区井灌的作用,汛期、冬灌及非普遍干旱的情况下,渠道可不引水或少引水,减少单位面积上的引水引沙量,减轻灌区泥沙处理的负担。

(2)浑水灌溉泥沙处理方式,仅适用于灌区自流区域的农业灌溉用水的泥沙处理。而城市供水及灌区提水区域的农业灌溉用水的泥沙处理仍需要修建沉沙池,宜在本次灌区节水技术改造规划中一并解决。其修建的方式,建议采用人工以挖待沉方式修建专用沉沙池,以便长期使用,且费用较低。

第六章　水污染防治对策与建议

人类的生存和发展无时无刻都与周围的环境有着密切的关系。随着人口的急剧增长和生产力的飞速发展，人口、资源、环境这三大问题已成为21世纪的重大课题。特别是水资源，如果不合理开发利用和重点保护，就易破坏其生态平衡，产生水资源危机，还会产生一系列环境问题。

从水资源情况看，愈来愈多的工业废水排入江河，不仅数量大、成分复杂、种类繁多，而且含剧毒、难降解，使水体遭到严重污染。水体质量的下降不仅影响了水资源的合理开发利用，而且更加剧了水资源的供需矛盾，以致形成水资源破坏的恶性循环。

人民胜利渠灌区地处缺水的华北平原南部，人均水资源量仅有430m^3/s，占全国人均水资源量的16%左右，加上水资源时空分布不均，远远不能满足工农业发展和人民生活的需要。近20年来，灌区经济发展迅速，人民生活水平不断提高，工业和生活污水排放量不断增加，灌区水质污染严重，且有愈演愈烈之势，使灌区水资源更加紧张。人民胜利渠的兴建和运用，为灌区经济发展起到了举足轻重的作用。随着灌区经济的进一步发展，灌区由原来单一的灌溉功能向工农业、城市供水、发电、补源等综合功能转变，国民经济各部门对水的需求和水的质量要求也越来越高。因此，开展灌区水质检测、水质调查与评价、水污染防治对策等方面的研究，解决灌区水污染问题是灌区工业、农业综合开发的需要，是提高人民生活水平的需要，同时也是灌区实现可持续发展的需要，并且为灌区技术改造提供科学的依据。

6.1 灌区水环境工程概况

灌区工程主要包括引黄灌溉工程、地下水利用工程和排水河道三类。灌区除引黄河水外,无外来客水。

6.1.1 引水工程

人民胜利渠现有总干渠1条,干渠5条,支渠43条,斗渠250条,农渠1 771条,渠道总长1 635.1km。

总干渠从武陟秦厂开始,自西南向东北至新乡市饮马口入卫,全长52.7km。渠道正常引水流量60m³/s,加大引水流量100m³/s。按黄河来水流量400m³/s的水位与渠首闸底设计高程的关系分析,若每年引水240天,日平均引水流量60m³/s计算,总干渠每年可引水12.5亿m³。目前,灌区多年引水量4亿~6亿m³,灌区耕地总面积9.92万hm²,其中正常灌溉面积5.91万hm²。

现在由于黄河主流已南滚,总干渠需隔滩引水。在滩地有一些串沟,其中沁蟒河有一条串沟从渠首上游8km处流入。由于沁蟒河来水污染严重,黄河枯水期时,造成人民胜利渠渠首水质污染。

6.1.2 地下水利用工程

人民胜利渠灌区地势平坦,地下水水平运动微弱,地下水来源主要以降雨入渗和灌溉入渗补给为主。灌区地下水资源总量为3.2亿m³,其中引黄灌溉入渗补给占总补给量的48.6%。

灌区地下水利用以农业灌溉和工业、生活用水为主,灌区现有农用机井15 475眼,配套12 923眼。农业灌溉主要开采浅层地下水,年开采地下水量约1.9亿m³。工业和生活用水主要开采深层水,由于近20年乡镇企业的迅猛发展和灌区人民生活水平的提高,地下水开采量也逐年增大,造成局部降深漏斗,深层地下水年开采量约0.82亿m³。

由于引黄灌溉的强烈补给,灌区地下水水质逐步改善,地下水矿化度大于5g/L的区域已基本消失,低矿化度区域正逐年扩大。但由于工业及生活废水排放量的增加,灌区部分区域地下水水质也遭到轻微污染。

6.1.3 排水河道

人民胜利渠排水工程由干、支、斗、农四级排水沟道组成。目前,灌区有干排4条,支排33条,斗排59条。干排可以排地面水和地下水,支、斗排主要排地面水,卫河为地面水和地下水的总承泄区。

6.1.3.1 西孟姜女河

西孟姜女河发源于获嘉县大辛庄乡后小召村,经新乡县,在新乡市入卫,全长39.5km,河底低于地面3~4m,主要排泄西一、西三干渠197km^{2}的涝水和地下水,同时接纳获嘉县、新乡县89家乡镇企业的工业废水。年平均排水量2 632.5万m^3,其中工业和生活废水排泄量708万m^3。原设计标准排地下水2.2m^3/s,5年一遇排涝流量37.6m^3/s,10年一遇排涝流量64.1m^3/s。由于大量的工业废渣排入河道,河道水质恶化、淤积严重,排涝能力已大大低于5年一遇排涝标准。东、西孟姜女河排水能力基本情况见表6-1。

表6-1 东西孟姜女河排水能力基本情况

河道名称	比降	实测河宽(m)	边坡	淤积深度(m)	现过水水深(m)	糙率	现过水流量(m^3/s)
西孟姜女河	1/3 400	7.57	1:3	1.2	1.4	0.025	20.8
东孟姜女河	1/4 300	13.3	1:2	0.7	2.3	0.025	36.4

6.1.3.2 东孟姜女河

东孟姜女河是灌区最大的骨干排水河道,发源于获嘉县亢村镇贺庄村，经新乡县，在卫辉市入卫，全长50.5km，河底低于地面3～4m，主要排泄东一、东二、东三干渠486.6km^2的涝水和地下水，同时接纳获嘉县、新乡县89家乡镇企业的工业废水。年平均排水量6 714万m^3，其中工业和生活废水排泄量1 008万m^3。原设计标准排地下水2.7m^3/s，5年一遇排涝流量52.8m^3/s，10年一遇排涝流量107m^3/s，现过水能力仅有36.4m^3/s（见表6－1）。

6.1.3.3　总干渠3号跌水以下河段（田庄下）

人民胜利渠总干渠自三号跌水下游（田庄下）至入卫口段，渠道长度为12.9km，河底低于地面2～2.5m，能排泄两岸的涝水和地下水，排水面积167km^2，平均流量4.95m^3/s。近几年，为防止卫河淤积，总干渠退水减少，而流域内企业排污量增加，排水渠段水质污染严重，总干渠3号跌水下游排水情况见表6－2。

表6－2　总干渠3号跌水排水水量统计

年份	1990	1991	1992	1993	1994	1995	1996	1997	1998	平均
水量（万m^3）	5052.6	3711.9	6367.0	3598.9	3287.6	2757.4	1537.9	239.8	750.6	3256.0

6.2　灌区水质现状及评价

灌区水质现状评价，是根据现状年例行水质监测资料及现场补充监测资料分析而来的。其评价标准按照GB3838－80《地面水环境质量标准》执行，见表6－3。评价办法是：根据每个监测断面结果与GB3838－80《地面水环境质量标准》中的标准相比较，得到超V类标准的因子及相应超标率，评价出各断面的水质类别。

6.2.1　灌区引水水质现状及评价

6.2.1.1　渠首水源地水质现状分析

人民胜利渠渠首在兴建初期可以凹岸取水，1960年后，随着黄河主流南滚，造成现在隔滩取水。由于渠首闸底板设计高程较低，而黄河河床逐年抬高，灌区引水仍能满足各种需求。但由于渠首引水渠较长,黄河支流沁蟒河入黄后,在滩地形成窜沟,侵入引水渠,造成引水水质不同程度的污染。

表6-3 水质评价标准 (单位:mg/L)

项目	Ⅰ类	Ⅱ类	Ⅲ类	Ⅳ类	Ⅴ类
COD	15以下	15以下	15	20	25
BOD_5	3以下	3	4	6	10
高锰酸盐指数	≤2	4	6	8	10
非离子氨	≤0.02	0.02	0.02	0.2	0.2
挥发酚	≤0.002	0.002	0.005	0.01	0.1

(1)黄河水质情况。

根据2000年黄委会水资源保护局对黄河干支流7 247km河段的评价结果,黄河干支流Ⅱ类水质占3.0%,Ⅲ类占35.7%,Ⅳ类占20.1%,Ⅴ类占17.2%,劣Ⅴ类占23.9%。对黄河3 613km干流段水质评价结果是:优于Ⅲ类水质的河段占总长的54.7%,但主要是源头水;劣于Ⅲ类水质的河段占总长的45.3%。到2001年7月,黄河干支流段水质状况是:劣于Ⅲ类水质标准的河段占评价河段的86.3%,其中劣于Ⅴ类水质标准的河段占35.3%。特别是河南省境内的支流水质,从宏农涧河入河口,到双桥河、伊洛河、老蟒河、沁河,支流的水质均为劣Ⅴ类,黄河干流段满足Ⅲ类水质的河段占干流评价河段的16.7%,符合Ⅳ类和Ⅴ类水质标准的占63.3%,劣于Ⅴ类水质标准的河段占20.0%。主要超标(超Ⅴ类)项目为高锰酸盐指数、非离子氨、亚硝酸氮等。

黄河流域"八五"期间及1996年、1997年共上工业点污染源治理项目3 184个,治理投资24.1亿元,城市污水处理厂17个,污水日处理规模仅72万t。流域工业废水平均处理率为69%,达标率为56.6%;城市污水平均处理率仅为8.8%,达标率仅为

5.5%。见表6-4。

表6-4 黄河流域污染治理及达标情况

行政区	项目数	投资额(亿元)	工业废水治理率(%)	工业废水治理达标率(%)	城市污水处理厂数	处理规模(万t/年)	城市污水处理率(%)	城市污水达标率(%)
青海	255	1.31	67	63	0	0	0	0
甘肃	71	2.72	57.4	53.1	30	17	30.9	18
宁夏	200	1	80.1	32.4	5	0	0	0
内蒙古	334	2.07	78.5	65.1	6	13.2	18.1	16.2
山西	1 800	7	76.8	70.2	3	14.8	32	20
陕西	294	1.5	40	85.1	0	27	7.3	6.1
河南	852	8.28	82.1	41.6	0	0	0	0
山东	8	0.22	70	40	17	0	0	0
合计	3814	24.1				72		
平均			69	56.6			8.8	5.5

2001年8月,黄委会水资源保护局对甘肃、宁夏、内蒙古、山东、河南等省(区)部分企业(排污口)排放的污水进行了监测,共抽查了向黄河干流排放污水的企业22家,其中超标排放污水的企业20家,占总数的90.9%;抽查综合排污口6个,结果全部超过排放标准。据统计,黄河流域年排放污水量为47亿~48亿t,这些污水绝大部分未经处理直接进入黄河,对黄河构成了严重污染,从潼关进入河南省的水质为Ⅴ类,到三门峡断面为Ⅳ类,流经小浪底为Ⅲ类,花园口断面以下河段为Ⅳ类。

黄河多年平均径流量为580亿m^3,目前全流域水库总库容已达530亿m^3,一次蓄水量占黄河多年平均天然径流量的91.4%。全流域共有引水工程13 849处,实际引水量已达410亿m^3。截流和引水使得黄河下游的径流量急剧减少,严重影响了水体的自净能力,加重了水污染的影响。黄河正面临着污染和径流减少的双重压力。

(2)沁蟒河来水对灌区引水水质的影响。

人民胜利渠引水水质受黄河干流水质的影响,由于引水口在小浪底水库和花园口断面之间,引入的黄河干流水质一般为Ⅲ级,能满足集中式生活饮用水水源地用水要求。但是,由于渠首引水需隔滩引水,引水渠长约3.5km,在渠首闸前沁蟒河污水侵入引水渠,使渠首引水水质遭到严重污染。

1994年以前,非汛期沁蟒河沟流量一般不超过$1m^3/s$,1~$3m^3/s$出现的概率很小,最大不超过$5m^3/s$。1994年以后,沁蟒河流域乡镇企业发展迅速,沁蟒河沟来水流量逐年增加,流量在$10m^3/s$左右出现的时间较长,非汛期沁蟒河沟流量超过$10m^3/s$的情况越来越多,最大时达到$30m^3/s$,平均每年有140天污水无法处理。沁蟒河沟来水近况见表6-5。

根据沁漭河来水的水质化验资料(见表6-6),沁蟒河沟来水水质污染严重,水质劣于Ⅴ类,主要污染指标是高锰酸盐指数、生化需氧量和非离子氨。近几年,沁蟒河来水除高锰酸盐指数、生化需氧量和非离子氨比以前有所降低外(分别是国标的7.7倍、14倍、54倍),大肠干菌群超标已达22.8倍,并增加了锰、汞等有害物质。

对于沁蟒河沟来水的严重污染,人民胜利渠灌区管理单位采取了积极的措施,于1994年对渠首污染进行了导污处理,工程实施后,使水源面免受污染的保证率达到了75%(即除汛期外,均可处理)。随着沁蟒河来水的改变,现有的污水处理工程导污最大流量只有$10m^3/s$,已不能满足现在污水处理的要求,渠首污水处理问题再一次威胁灌区的生存和发展。因此,人民胜利渠渠首污水治理,对灌区效益的发挥和良性运行起决定性作用。

表 6-5　沁蟒河沟来水情况

年份	来水情况	1月	2月	3月	4月	5月	6月	7月	8月	9月	10月	11月	12月
1998	月均流量(m^3/s)					6.62	8.1	>50	>50	>50	13.8	7.9	3.3
	月内大于 $10m^3/s$ 的天数					2	4	22	30	30	9	5	0
1999	月均流量(m^3/s)	1.33	3.1	1.8	4.8	1.7	1.2	13.2	9.02	10.1	9.3	10.2	4.8
	月内大于 $10m^3/s$ 的天数	0	0	0	0	0	0	17	13	7	19	19	2
2000	月均流量(m^3/s)	3.65	5.25	1.8	2.65	0.57	>80	>80	>80	>80	>50	9.3	12.4
	月内大于 $10m^3/s$ 的天数	0	2	0	0	0	0	31	31	30	28	11	26
2001	月均流量(m^3/s)	22.3	14.8	8.0	6.7								
	月内大于 $10m^3/s$ 的天数	31	26	4	1								

6.2.1.2　渠首以下总干渠沿途污水排放情况调查

人民胜利渠渠首下至三号跌水(田庄)上段,共有5处污水排放口:第一处位于总干渠一号闸上,接纳武陟县小纸厂废水和当地农田退水,非汛期淤积物常阻断排污入渠口门。但汛期时当地农民挖开排水口门,污水退入总干渠;第二处位于武陟县詹店总干渠东侧,近几年来,由于沿公路服务业比较发达,排入总干渠的废水主要是生活和农田退水，实测排入总干渠废水和当地农田退水流量约0.6m^3/s；第三处位于总干渠2号跌水闸下，两侧农田退入大量含氨水；第四处位于获嘉县亢村镇火车站，废水直接排入总干渠，废水中氨化物含量大，对引水水质有一定影响；第五处是敦留店纸厂直接向总干渠排污。各处排水口门排污现状如表6－7。

表6－6　沁蟒河来水水质化验结果

年　份	大肠杆菌（个/L）	氮氨量（mg/L）	高锰酸盐指数（mg/L）	COD（mg/L）	汞（mg/L）	锰（mg/L）
1989	2.82×10^4	80	68.9	101.6		
2000	2.28×10^5	27	30.8	56.90	6.6×10^{-4}	1.32

表6－7　总干渠沿途污水排放现状

排污口位置	废水排放流量（m^3/s）	COD_{Mn}（kg/日）	BOD_5（kg/日）	非离子氨（kg/日）	氯化物（kg/日）	备注
詹店东	0.4	424.19		13.35		
获嘉冯庄	0.6	548.34		17.16	0.20	
亢村磷肥厂	0.012					已停产
敦留店纸厂	0.046	1 095.9				已停产

6.2.1.3　城市供水水质分析

人民胜利渠总干渠从渠首下至三号跌水（田庄）段，是新乡市生活及工业用水供水通道，担负着新乡市第一、第四水厂部分供水的任务。水质分析方法采用分指数和综合指数法进行，以GB3838－88 Ⅱ级水质标准作为地面饮用水源水体标准，评价分析采用的公式及各参量如下：

$$P_i = C_i/C_0 \tag{6-1}$$

$$P = \sum_{i=0}^{n} P_i \tag{6-2}$$

式中:P_i 为第 i 种污染物的分指数;P 为水质综合污染指标;C_i 为第 i 种污染物实测浓度;C_0 为某种污染组分程度的水质标准。

评价分析资料采用1996年、1997年新乡市第一、第四水厂入水口水质监测结果(见表6-8~表6-10),由于人民胜利渠引用的是黄河水,其色度、浑浊度均超过国家饮用水标准,其他项目均达到了国家饮用水标准。

表6-8 人民胜利渠东二干新乡市一水厂引水口水质监测表

分析项目	国家标准	1	2	3	4	5	6
氰化物(mg/L)	0.05	<0.002	<0.002	<0.002	<0.002	<0.002	<0.002
砷(mg/L)	0.05	<0.01	<0.01	<0.01	<0.01	<0.01	<0.01
硒(mg/L)	0.01	<0.005	<0.005	<0.005	<0.005	<0.005	<0.005
汞(mg/L)	0.001	<0.001	<0.0005	<0.005	<0.0005	<0.0005	<0.0005
镉(mg/L)	0.01	0.0014	0.0008	0.0002	0.0018	<0.001	<0.001
铬(无价)(mg/L)	0.05	0	0.002	0.009	<0.004	0.005	0.006
铅(mg/L)	0.05	<0.05	<0.05	0.0094	<0.002	0.020	<0.02
银(mg/L)	0.05	0.0041	<0.002	<0.002	<0.002	<0.002	<0.002
硝酸盐(mg/L)	20	1.0	1.0	0.6	0.2	0.3	0.9
氯仿(μg/L)	60	<10	<10	<10			
四氯化碳(μg/L)	3	<1	<1	<1			
滴滴涕(μg/L)	1	<0.35	<0.35	<0.35			
六六六(μg/L)	5	<0.45	<0.45	<0.45			
细菌总数(个/mL)	100						
总大肠菌群(个/L)	3						
游离余氯	0.3						

注:①国家标准指国家生活饮用水标准;②小于某数值说明所取的一组水样化验结果均小于并接近此数值。

表6-9　人民胜利渠东二干新乡市四水厂引水口水质监测表

分析项目	国家标准	1	2	3	4	5	6
色(度)	15	20	15.0	15	12.5	200	20
浑浊度(度)	3	35	30.0	15	4.0	2.0	5
溴和味	不得有臭味	无	无	无	无	无	无
肉眼可见物	不得含有	无	无	无	无	无	无
pH 值	6.5~8.5	8.1	8.1	7.8	8.0	7.9	7.8
总硬度(mg/L)	450	351.0	233.0	252.2	345.9	400.1	400.1
铁(mg/L)	0.3	0.300	0.129	0.079	0.501	0.148	0.242
锰(mg/L)	0.1	0.136	0.031	0.110	0.084	0.110	0.031
铜(mg/L)	1.0	<0.2	<0.1	<0.1	<0.1	<0.05	<0.05
锌(mg/L)	1.0	<0.2	<0.05	<0.05	<0.05	<0.05	<0.05
挥发酚类(mg/L)	0.002	<0.002	<0.002	<0.002	<0.002	<0.002	<0.002
阴离子合成洗涤剂(mg/L)	0.3	<0.1	<0.1	<0.1	<0.1	<0.1	<0.1
硫酸盐(mg/L)	250	112.8	152.1	108.7	62.6	115.1	119.9
氯化物(mg/L)	250	126.8	95.7	64.5	117.8	81.1	115.0
溶解性总固体(mg/L)	10 000	811	621	566	968	565	749
氟化物(mg/L)	1.0	0.7	0.8	0.7	0.7	0.7	0.7

注:①国家标准指国家生活饮用水标准;②小于某数值说明所取的一组水样化验结果均小于并接近此数值。

6.2.1.4　人民胜利渠引水水质综合评价分析

人民胜利渠引水水质主要受沁蟒河来水量和渠首引水量大小

表 6－10　人民胜利渠总干渠引水水质综合评定表

位置	铁		锰		铜		挥发酚类		阴离子合成洗涤剂		硫酸盐		氯化物	
	浓度	分指数	浓度	分指数	浓度	分指数	浓度	分指数	浓度	分指数	浓度	分指数	浓度	分指数
一水厂	0.27	0.90	0.110	1.10	0.2	0.20	0.002	1.00	0.1	0.33	147	0.59	119.3	0.48
	0.226	0.75	0.058	0.58	0.1	0.10	0.002	1.00	0.1	0.33	163.6	0.65	94.8	0.38
	0.059	0.20	0.136	1.36	0.1	0.10	0.002	1.00	0.1	0.33	63.6	0.25	40.8	0.16
	0.012	0.04	0.110	1.10	0.1	0.10	0.002	1.00	0.1	0.33	102.9	0.41	230.9	0.92
	0.281	0.94	0.084	0.84	0.05	0.05	0.002	1.00	0.1	0.33	105.6	0.42	106.3	0.42
	0.110	0.37	0.058	0.58	0.05	0.05	0.002	1.00	0.1	0.33	79.2	0.32	115.9	0.46
四水厂	0.300	1.00	0.136	1.36	0.2	0.20	0.002	1.00	0.1	0.33	112.8	0.45	126.8	0.51
	0.129	0.43	0.031	0.31	0.1	0.10	0.002	1.00	0.1	0.33	152.1	0.61	95.7	0.38
	0.079	0.26	0.110	1.10	0.1	0.10	0.002	1.00	0.1	0.33	108.7	0.43	64.5	0.26
	0.501	1.67	0.084	0.84	0.1	0.10	0.002	1.00	0.1	0.33	62.6	0.25	117.8	0.47
	0.148	0.49	0.110	1.10	0.05	0.05	0.002	1.00	0.1	0.33	115.1	0.46	81.1	0.32
	0.242	0.81	0.031	0.31	0.05	0.05	0.002	1.00	0.1	0.33	119.9	0.48	115.0	0.46

位置	溶解性总固体		氟化物		氰化物		砷		硒		铬		铅		综合指数	水质级别
	浓度	分指数	浓度	分指数	浓度	分指数	浓度	分指数	浓度	分指数	浓度	分指数	浓度	分指数		
一水厂	817	0.82	0.8	0.80	0.002	0.04	0.01	0.20	0.005	0.50	0	0	0.05	1.00	7.96	>3,<4
	638	0.64	0.8	0.80	0.002	0.04	0.01	0.20	0.005	0.50	0.002	0.04	0.05	1.00	7.01	>3,<4
	664	0.66	0.7	0.70	0.002	0.04	0.01	0.20	0.005	0.50	0.009	0.18	0.0094	0.19	5.87	>3,<4
	1391	1.39	0.6	0.60	0.002	0.04	0.01	0.20	0.005	0.50	0.004	0.08	0.002	0.04	6.75	>3,<4
	726	0.73	0.9	0.90	0.002	0.04	0.01	0.20	0.005	0.50	0.005	0.10	0.02	0.40	6.87	>3,<4
	883	0.88	1.0	1.00	0.002	0.04	0.01	0.20	0.005	0.50	0.006	0.12	0.02	0.40	6.25	>3,<4
四水厂	811	0.81	0.7	0.70	0.002	0.04	0.01	0.20	0.005	0.50	0	0	0.05	1.00	8.10	>3,<4
	621	0.62	0.8	0.80	0.002	0.04	0.01	0.20	0.005	0.50	0.003	0.06	0.05	1.00	6.38	>3,<4
		0.57	0.7	0.70	0.002	0.04	0.01	0.20	0.005	0.50	0.005	0.10	0.0052	0.10	5.69	>3,<4
		0.97	0.7	0.70	0.002	0.04	0.01	0.20	0.005	0.50	0.004	0.08	0.002	0.04	7.19	>3,<4
	565	0.56	0.7	0.70	0.002	0.04	0.01	0.20	0.005	0.50	0.005	0.10	0.027	0.54	6.39	>3,<4
	749	0.75	0.7	0.70	0.002	0.04	0.01	0.20	0.005	0.50	0.005	0.10	0.02	0.40	6.13	>3,<4

注:浓度单位均为 mg/L。

影响。在灌溉期间，由于引水流量在20m^3/s以上，COD、BOD_5、高锰酸盐指数、非离子氨、挥发酚等五项主要指标（见表6－11）均达到灌溉水质标准，并基本达到城市供水水质标准。而在小流量引水时，非离子氨和高锰酸盐指数两项指标均超过生活引用水Ⅱ级标准，在大流量引水需加以稀释才能满足用水要求。从引水水质中的微量元素来看，砷、铬、镉、铅、锌等金属元素有轻度污染，但没有超标；引水水质受铜、汞等金属污染严重，其中铜已超过地面水环境Ⅲ级标准，汞污染量介于Ⅰ级和Ⅱ级之间。

表6－11　人民胜利渠引水水质分析结果　（单位：mg/L）

断面 指标	职庄	牛屯	田庄
COD	34.9	36.4	11.93
BOD_5	2.1	3.3	1.00
高锰酸盐指数	8.7	7.9	6.47
挥发酚	0.001	0.002	0.001
非离子氨	1.164×10^{-4}	8.768×10^{-4}	0.100

6.2.2　灌区主要排水河道污染现状

6.2.2.1　西孟姜女河水质现状

西孟姜女河多年平均排水量2 632.5万m^3，其中汛期排水量1 063.93万m^3。西孟姜女河排水主要包括引黄退水、汛期涝水、上游地下水和工业废水。东、西孟姜女河各水文年排水量见表6－12。

根据现状观测资料分析，西孟姜女河排污水量为708万m^3，占年排水量的26.89%，主要排污源为小造纸厂，仅西孟姜女河翟坡乡任小营村以上河段有十余家，虽然1996年初环境保护部门对年产 500t 以下的小纸厂进行了停业整顿，但从实际情况来看，前景仍不容乐观。从水质主要监测项目结果来看，COD_{Cr}、BOD_5、高锰酸盐指数、挥发酚、非离子氨五项主要监测指标严重超标，见表 6－13。

表 6－12　东、西孟姜女河各水文年排水量　（单位：万 m^3）

河道	多年平均		湿润年		平水年		中旱年		干旱年	
	排水总量	其中汛期	排水总量	其中汛期	排水总量	其中汛期	排水总量	其中汛期	排水总量	其中汛期
东孟姜女河	6714.9	3246.6	8291.4	4483.4	6584	3364.5	5753.3	1918.3	5082.6	3220
西孟姜女河	2632.5	1063.9	3583.1	1850.4	2566	937.5	2197.1	942.8	955.9	525

表 6－13　西孟姜女河水质主要监测项目结果　（单位：mg/L）

监测断面	枯水期平均流量（m^3/s）	COD_{Cr}	BOD_5	高锰酸盐	挥发酚	非离子氨	备注
韩小营	0.04	121.3	13.8	29.7	0.001	7.654×10^{-3}	
络丝潭	0.2	223.64	21.06	25.6	0.021	0.08	
入卫口	0.5	210.02	27.65	87.10	0.059	0.536	
孟敦排	0.07	193.37	82.54	145	0.053	0.011	南翟坡断面
西孟四支排	0	48.83	5.11	1.6	0.004	4.434×10^{-3}	丁固城断面

工业废水的排放不但造成排水河道水质的严重污染，也造成了河道的严重淤积。目前西孟姜女河过水能力只有 20.8m^3/s，仅达到了设计流量的 48.3%。淤积最为严重的西孟姜女河下段（小

宋佛以下)及支排孟敦排,淤积厚度分别达到1.2m和1.5m。在暴雨季节,河水漫滩,造成两岸农田污染灾害。如1996年8月,降雨量为154mm,断面过水流量为26.5m^3/s,最高水位达71.82m,比原设计水位高出0.83m,受灾面积2 000hm^2。

6.2.2.2　东孟姜女河水质现状

东孟姜女河多年平均排水总量为6 714.87万m^3,其中汛期排水量3 246.55万m^3,汛期以排流域内涝水和工业废水为主,非汛期排灌溉退水和工业废水为主。近几年,随着灌溉管理水平的提高,引黄灌溉退水逐年减少,现以涝水和工业废水为主,其中工业废水年排泄量达1 008万m^3,占年排水总量的15%。

排入东孟姜女河的工业废水主要来自新乡县制药、造纸、化工等行业45家企业,其中造纸厂40余家,成为污染大户。从水质主要监测项目结果来看,COD_{Cr}、BOD_5、高锰酸盐指数、挥发酚、非离子氨五项主要监测指标严重超标,结果见表6-14。

表6-14　东孟姜女河水质主要监测项目结果

断面	枯水期平均流量(m^3/s)	主要项目监测(mg/L)				
		COD_{Cr}	BOD_5	高锰酸盐指数	挥发酚	非离子氨
小河	0.2	1472.71	742.41	97.4	0.597	0.126
聂庄	2.6	318.76	87.39	44.8	0.021	0.016
万庄	0.9	379.85		64.8	0.022	0.018
吕公堂	3.0	372	28.85	80.2	0.024	0.02
东孟赵定排	0.02	99.61	30.05	7.5	0.004	0.06
东孟红旗排		167.98	75.06	25.9	0.021	6.148×10^{-4}
东孟一支排		245.72	64.92	63.3	0.009	0.028
东孟大泉排		17.58		3.4	0.006	1.665×10^{-5}

6.2.2.3 总干渠3号跌水以下段水质现状

人民胜利渠自三号跌水下段至入卫口渠段,担负着总干渠退水及沿途地表水排涝的任务。多年排水总量平均为3 255.9万m^3。由于引黄灌溉水平的提高,引黄退入卫河水量大大减少。现该段主要接纳新乡市区、新乡县等82家工业废水,年排污总量达2 563万m^3,渠段水质污染严重。根据监测结果,COD_{Cr}、BOD_5、高锰酸盐指数、挥发酚、非离子氨五项主要监测指标严重超标,结果见表6-15。

表6-15 总干渠3号跌水下游水质主要监测项目结果

断面名称	枯水期平均流量(m^3/s)	主要项目监测(mg/L)				
		COD_{Cr}	BOD_5	高锰酸盐指数	挥发酚	非离子氨
解放南桥	4.95	44.18	7.95	20.19	3.5×10^{-4}	0.027
饮马口	4.95	80.04	9.07	31.19	2.7×10^{-3}	0.557
入渠南支排	0.03	1357.1	428.9	366.3	3.1×10^{-3}	3.385

6.2.2.4 排水河道水质综合分析

根据监测结果分析,各排水河道主要监测项目指标与GB3838-88《地面水环境质量标准》中的V类标准相比较,得到超V类标准的因子及其相应的超标倍数,分析评价出各监测断面项目的水质类别,其结果见表6-16。从表中可以看出,三条主要排水河道除挥发酚、非离子氨两个监测项目达到V类标准外,COD_{Cr}、BOD_5、高锰酸盐指数三项指标均严重超标,东、西孟姜女河比总干渠3号跌水下段污染程度要严重,三条排水河道均超过了V类标准。

6.2.3 地下水水质现状分析

人民胜利渠灌区地下水利用主要是农业灌溉和农村生活、乡镇企业用水。影响农业灌溉的地下水水质主要是地下水矿化度;影响生活用水的地下水水质主要是地下水矿化度和地下水五项监测指标。

表 6－16　主要排水河道水质分析结果

河道名称	起止点	河道长度（km）	COD_{Cr}		BOD_5		高锰酸盐指数		非离子氨		水质级别
			级别	超标倍数	级别	超标倍数	级别	超标倍数	级别	超标倍数	
西孟姜女河	小召—络丝潭	32.5	＞V	7.35	＞V	1.11	＞V	1.56			＞V3
西孟姜女河	络丝潭—入卫口	7	＞V	7.42	＞V	1.76	＞V	0.05	＞V	1.68	＞V4
西孟敦支排	敦台庄—南翟坡	10	＞V	6.73	＞V	7.25	＞V	13.5			＞V3
东孟姜女河	西丁庄—台公堂	5.05	＞V	13.0	＞V	1.88	＞V	7.02			＞V3
东孟一支排	崔槐树—小河	19.7	＞V	8.83	＞V	5.49	＞V	5.33			＞V3
东孟赵定排	赵村北—孙庄	14.3	＞V	2.98	＞V	2.01	＞V				＞V
人民胜利渠下段	田庄—解放南桥	7.5	＞V	0.77	＞V		＞V	1.02	＞V		＞V3
人民胜利渠下段	解放南桥—饮马口	4.8	＞V	4.82			＞V	2.12	＞V		＞V3
入渠南支排	支西牌—田庄	8.5	＞V	53.28	＞V	42.89	＞V	36.63	＞V		＞V4

6.2.3.1 灌区地下水矿化度现状

一般来讲,地下水矿化度小于1.7g/L对作物生长无害;当地下水矿化度在2~4g/L时,如用于灌溉,则应采取相应的农业技术措施;当矿化度大于4g/L时,一般不能用于灌溉。

(1)地下水矿化度的年际变化。

人民胜利渠灌区在开灌前,有老盐碱地0.68万hm^2,地下水高矿化度区域面积很大,开灌后,经过对盐土进行排水冲洗,碱化盐土地种植水稻或深翻改土;背河洼地进行排水沉沙放淤,同时结合一些农业技术措施,现在盐碱地面积已缩小为0.08万hm^2,且少量零星分布,地下水低矿化度区域已占主导地位。

据人民胜利渠灌区1955年普查,全区地下水矿化度小于1g/L的面积占总面积的65.4%,1~2.5g/L的面积占25.5%,引黄灌溉面积由原来的2.4万hm^2扩大到4.8万hm^2;1960年前后,灌区发生大面积次生盐碱化,达1.89万hm^2,1965年全区地下水矿化度小于1g/L的面积缩小到6.8%,1~2g/L的面积扩大到83.4%,地下水矿化度比1955年有所增大,引黄灌溉面积仅为1.6万hm^2;1985年小于1g/L的面积占57.1%,1~2g/L的面积占35.1%,即地下水矿化度比1965年有所减小,全区引黄面积恢复到开灌水平;1995年后,全区地下水矿化度小于1g/L的面积占75.98%,1~2g/L的面积占21%,大于3g/L的面积仅占0.46%,引黄面积扩大到6.3万hm^2。见表6-17。

从年际变化来看,灌区地下水矿化度有向淡化发展的趋势,引黄面积缩小和扩大与地下水矿化度变化有密切的关系。从总体来看,地下水矿化度小于2g/L的面积有逐渐扩大的趋势,2g/L的面积基本不变,大于3g/L的面积逐渐减少,大于5g/L的面积基本消失,灌区地下水矿化度整体上向良性方向发展(见表6-17)。历史经验证明,由于黄河天然水质较好,年pH值平均为7.4,矿化度为0.315g/L,且含一定的养分,可含盐量低。因此,科学使用黄河水，对改善灌区地下水矿化度十分有利。

表 6－17　人民胜利渠灌区地下水矿化度分布

时　间	地下水矿化度所占面积(%)				当年灌溉面积（万 hm^2）
	<1g/L	1～2.5g/L	2.5～5g/L	>5g/L	
1952 年 3 月	64.5	25.5	7.0	1.9	
1965 年 3 月	6.8	83.4	7.9	1.8	1.60
1985 年 3 月	57.1	35.1	6.8	1.0	4.32
1995 年 9 月	76.0	21.0	3.0	0	6.30

(2)地下水矿化度年内变化。

地下水矿化度年内变化受灌溉、降雨因素影响较大，一般情况下，灌前地下水矿化度比灌后大，降雨前比降雨后大，矿化度在 1g/L 左右的，季节变化不大，一般不超过 0.5g/L；矿化度在 3g/L 左右的，季节变化较大，常超过 0.5g/L。地下水矿化度年内变化情况见表 6－18。

表 6－18　人民胜利渠地下水矿化度年内变化值

井点	位置	1955～1960 年				1961～1970 年				1981～1990 年		1991～1998 年	
		3 月	6 月	9 月	12 月	3 月	6 月	9 月	12 月	3 月	9 月	3 月	9 月
027	忠义	0.94	0.84	0.81		0.50	0.88	0.49	1.93	0.94	0.93	0.95	0.62
055	丁村	6.75	9.77	6.11	15.86	8.03	8.23	8.07	10.0	4.45	4.42	2.7	0.70
075	中召					1.74	2.58	2.69	2.94	2.55	2.52	2.14	4.45
099	七里营	3.25	4.28	0.44		1.95	2.04	0.66	0.60	0.83	0.79	0.47	0.43
024	贺庄	0.54	0.83	0.69		1.06	0.81	1.07	1.12	1.10	0.61	1.37	0.45

注：灌区曾于 1970～1978 年中断观测。

6.2.3.2 地下水灌溉系数计算分析

地下水灌溉系数(K_0)是评价分析地下水灌溉水质的常用方法之一。计算灌溉系数的基本方法有以下三种:

(1)当Na^+的毫克当量<Cl^-的毫克当量时

$$K_0=\frac{288}{5r_{Cl^-}} \tag{6-3}$$

(2)当Na^+的毫克当量>Cl^-的毫克当量时

$$K_0=\frac{288}{r_{Na^+}+4r_{Cl^-}} \tag{6-4}$$

(3)当Na^+的毫克当量>Cl^-的毫克当量时

$$K_0=\frac{288}{10r_{Na^+}-5r_{Cl^-}-9r_{SO_4^{2-}}} \tag{6-5}$$

以上三式中,r_{Na^+}、r_{Cl^-}、和$r_{SO_4^{2-}}$分别为钠离子、氯离子、硫酸根离子的毫克当量。

根据近几年灌区地下水水质离子分析结果,对灌区地下水埋深和种植结构相同的地区划为七个分区,分别求出其灌溉系数K_0,其结果见表6-20。根据其结果,对照评价标准(见表6-19)来分析地下水水质对灌溉的影响。

表6-19 灌溉水质评价指标

灌溉系数K_0	水质评价指标
>18	水质良好
18~6	可以灌溉,但要采取措施,防止盐类积聚
6~1.2	不太适宜灌溉,但在加强排水条件下可以灌溉
<1.2	不适宜直接作为灌溉水质

从典型井点地下水灌溉水质结果分析来看,灌区Ⅰ、Ⅱ、Ⅵ和Ⅶ区的上游地区,由于地处古黄河漫滩区,地势高亢,地下径流条

表 6-20　灌区不同区域地下水典型井点水质灌溉系数计算表

时间	分区	取样地点	可溶盐离子(毫克当量)							灌溉系数 K_0	均值(毫克当量)
			CO_3^{2-}	HCO_3^-	Cl^-	SO_4^{2-}	Ca^{2+}	Mg^{2+}	$Na^+ + K^+$		
1995年3月	Ⅰ	贺庄	0.432	2.800	2.452	0.817	2.949	1.315	2.237	23.49	22.33
		亢村	0.560	2.527	2.721	2.791	3.136	4.625	0.838	21.16	
	Ⅱ	七里营	0.368	3.827	2.240	3.449	2.054	6.491	1.339	25.71	20.82
		夏庄	0.400	4.880	2.464	0.396	0.490	4.264	3.396	15.93	
	Ⅲ	孝合	0.320	1.776	5.152	40.148	21.400	15.625	10.372	9.30	8.49
		程玉	0.960	4.720	7.504	1.630	3.245	8.498	3.071	7.68	
		沙窝营	0.800	5.152	1.288	1.442	1.803	5.989	0.890	44.72	
	Ⅳ	中召	0.400	2.960	8.120	22.886	1.358	16.077	16.931	5.83	6.715
		北翟坡	1.120	5.920	5.600	9.017	2.383	4.552	14.722	7.57	
		李唐马	0	3.360	5.488	30.130	4.075	21.549	13.354	8.05	
		代店	0.816	6.640	8.624	14.124	2.933	8.482	18.789	5.41	
	Ⅴ	洪门	1.280	5.920	4.368	2.701	2.702	3.356	8.217	8.00	14.85
		张武店	0	2.160	2.520	3.490	1.056	3.924	3.190	21.70	
	Ⅵ	任庄	0.88	6.40	2.352	1.279	1.358	3.472	6.081	7.67	11.48
		刘景屯	0.48	2.96	3.696	2.733	2.232	3.358	4.050	15.29	
	Ⅶ	前李庄	0	2.320	3.696	2.019	0.679	6.151	1.205	15.58	11.12
		后河	0.288	5.120	3.248	3.128	1.894	3.275	6.607	6.65	
1996年3月	Ⅰ	贺庄	0.2067	3.008	2.262	1.743	3.032	2.236	2.012	25.46	26.93
		亢村	0.2067	3.293	2.016	0.995	2.149	2.348	2.074	28.40	
	Ⅱ	七里营	9.00	4.592	1.786	1.114	2.945	2.706	1.827	32.84	29.99
		夏庄	0	6.853	2.016	0.803	2.945	4.179	2.548	27.14	
	Ⅲ	孝合	0.231	2.563	5.152	36.856	21.372	15.323	7.874	10.12	16.69
		程玉	0	3.560	2.833	2.268	2.865	2.746	3.050	20.03	
		沙窝营	0	5.073	1.232	0.891	0.987	3.351	2.864	19.91	

续表 6－20

时间	分区	取样地点	可溶盐离子(毫克当量)							灌溉系数 K_0	均值(毫克当量)
			CO_3^{2-}	HCO_3^-	Cl^-	SO_4^{2-}	Ca^{2+}	Mg^{2+}	$Na^+ + K^+$		
1996年3月	Ⅳ	中召	0	3.115	15.736	40.802	15.959	20.417	25.277	3.34	7.14
		北翟坡	0	7.298	4.816	8.079	2.228	5.293	12.672	9.02	
		李唐马	0	3.827	4.950	27.840	8.756	15.840	12.021	9.05	
		代店	0	5.162	1.232	0.979	1.791	3.231	2.351	33.70	
	Ⅴ	洪门	0	7.209	3.864	2.754	3.343	3.741	6.743	12.350	10.03
		张武店	0	3.649	7.160	12.529	5.763	8.843	8.732	7.71	
	Ⅵ	任庄	0	4.484	2.254	2.149	3.063	3.765	2.558	24.88	21.25
		刘景屯	0	4.994	3.270	1.711	3.024	3.860	3.002	17.62	
	Ⅶ	前李庄	0.338	2.759	1.856	2.228	2.189	2.746	2.246	29.78	24.07
		后河	0	4.984	3.138	1.592	2.786	4.776	2.156	18.35	
1996年9月	Ⅰ	贺庄	0	2.919	3.04	2.778	2.467	5.492	1.042	17.43	21.71
		亢村	0	3.577	2.217	1.791	3.064	4.019	0.502	25.98	
	Ⅱ	七里营	0	3.471	3.584	1.552	2.746	2.348	3.513	16.07	22.49
		夏庄	0.356	5.001	1.568	1.074	1.631	3.621	2.747	28.90	
	Ⅲ	孝合	0	2.563	5.152	36.856	21.372	15.323	7.874	10.11	28.71
		程玉	0.231	2.972	1.232	1.870	3.462	1.552	1.291	46.31	
		沙窝营	0.320	5.126	1.433	0.509	2.228	3.016	2.144	29.71	
	Ⅳ	中召	0	3.951	16.128	36.695	17.981	20.465	18.328	3.48	8.70
		北翟坡	0.712	6.105	5.152	9.663	2.563	5.834	13.235	14.68	
		李唐马	0	2.652	6.272	28.894	12.903	13.603	11.312	7.91	
		代店	0	7.298	5.880	14.710	9.782	8.544	9.542	8.71	
	Ⅴ	洪门	0.124	4.895	3.192	3.661	5.731	1.472	4.669	16.52	11.18
		张武店	0	2.848	9.856	11.772	7.044	8.079	9.353	5.84	

续表 6-20

时间	分区	取样地点	可溶盐离子(毫克当量)							灌溉系数 K_0	均值(毫克当量)
			CO_3^{2-}	HCO_3^-	Cl^-	SO_4^{2-}	Ca^{2+}	Mg^{2+}	$Na^+ + K^+$		
1996年9月	Ⅵ	任庄	0	6.675	3.192	3.064	6.447	2.348	4.136	18.05	16.45
		刘景屯	0	3.738	4.088	4.338	3.024	6.089	3.051	14.84	
	Ⅶ	前李庄	0.356	5.607	2.296	1.265	3.582	4.019	1.923	25.09	20.58
		后河	0.267	4.895	3.584	0.963	4.696	2.507	2.506	16.07	
1998年3月	Ⅰ	贺庄	0	4.361	4.144	2.685	3.876	3.268	4.136	13.90	21.33
		亢村	0	4.183	1.960	0.86	3.116	1.710	2.177	28.75	
	Ⅱ	七里营	0.445	4.076	2.128	0.89	2.204	2.546	2.789	25.48	31.11
		夏庄	0.445	4.912	1.568	0.635	4.29	1.930	1.340	36.73	
	Ⅲ	孝合	0	2.581	7.672	29.164	15.969	7.629	15.819	6.19	17.80
		程玉	0	7.921	3.416	1.413	3.440	2.842	6.468	8.27	
		沙窝营	0.393	4.218	1.366	0.703	2.052	2.692	1.936	38.92	
	Ⅳ	中召	0.195	4.325	9.072	20.644	5.684	16.200	12.352	5.80	8.74
		北翟坡	0.445	5.340	6.608	20.158	4.60	9.312	18.639	6.39	
		李唐马	1.246	3.204	5.096	25.058	8.190	14.200	12.214	8.83	
		代店	1.157	5.948	3.035	6.073	3.440	4.226	8.544	13.92	
	Ⅴ	洪门	0	4.361	6.048	27.038	7.629	9.836	19.982	6.52	6.19
		张武店	0	4.316	9.464	12.005	8.026	6.185	11.340	5.85	
	Ⅵ	任庄	0	4.236	4.614	3.179	2.767	3.852	8.275	10.77	11.46
		刘景屯	0	5.785	4.502	3.695	4.142	4.218	5.622	12.19	
	Ⅶ	前李庄	0.409	3.453	3.785	5.635	3.889	3.351	6.039	13.60	14.55
		后河	0	7.974	3.718	0.89	5.310	3.553	3.719	15.49	
1998年9月	Ⅰ	贺庄	0	4.284	2.097	2.154	1.496	2.281	4.758	16.26	28.85
		亢村	0	3.304	1.987	2.109	1.683	2.221	3.496	25.17	
	Ⅱ	七里营	0	4.360	1.886	0.635	1.159	2.805	3.293	16.19	22.15
		夏庄	0	5.079	1.968	0.635	1.510	3.799	2.373	28.11	

续表 6-20

时间	分区	取样地点	可溶盐离子(毫克当量)							灌溉系数 K_0	均值(毫克当量)
			CO_3^{2-}	HCO_3^-	Cl^-	SO_4^{2-}	Ca^{2+}	Mg^{2+}	$Na^+ + K^+$		
1998年9月	Ⅲ	孝合	0	2.754	5.790	39.270	20.719	16.456	10.639	8.52	8.58
		程玉	0	7.038	4.968	4.891	1.757	4.413	10.727	8.40	
		沙窝营	0	7.527	1.702	0.486	1.009	4.151	4.555	8.82	
	Ⅳ	中召	0	5.018	14.572	48.732	16.149	21.362	30.811	3.23	8.26
		北翟坡	0	4.345	3.569	9.911	1.421	4.413	11.991	10.96	
		李唐马	0	5.385	4.636	31.676	8.235	15.663	17.799	7.92	
		代店	0	4.492	3.422	13.538	3.291	5.460	12.701	10.91	
	Ⅴ	洪门	0	3.831	2.484	1.757	1.802	2.685	3.585	23.00	15.58
		张武店	0	3.366	6.835	7.741	5.123	4.862	7.957	8.16	
	Ⅵ	任庄	0	2.998	0.533	1.249	2.655	1.099	1.026	90.22	50.00
		刘景屯	0	3.084	5.474	6.507	3.291	4.338	7.571	9.77	
	Ⅶ	前李庄	0	3.672	1.748	1.989	1.810	3.134	2.445	30.52	29.82
		后河	0	3.672	1.978	1.144	1.361	2.625	3.113	29.12	

件好,地下水灌溉系数一般大于18,地下水灌溉水质基本符合灌溉要求;第Ⅲ分区地处古黄河背河洼地,但排水条件好,地下水灌溉水质与灌排条件有关,地下水灌溉系数在8.5~18之间,时好时坏,变化较大;第Ⅳ、Ⅴ和Ⅶ区的下游地区地处卫河淤积区,地势低洼,排水条件一般。特别是第Ⅳ区,为丁村老盐碱地区,地下水灌溉系数在6~8之间,土壤返盐比较强烈,该区地下水矿化度一直很高,地下水灌溉水质不太适宜于灌溉,需加强措施给予治理。

6.2.3.3 地下水污染状况

灌区由于三废排放量的增加,农药、化肥的大量施用,以及某些自备井越层混合开采等因素影响,导致了该区地下水体的污染。

灌区地下水污染主要分布在污染严重排水河道的沿河两岸地

带，一般情况下，地表水位高于地下水位，特别是汛期，水位差更大。这些河道两侧饱气带的岩土层为亚砂土和亚黏土。因此，遭到污染的地表水体，必然通过侧渗渗漏补给地下水，并使地下水质受到一定程度的污染。

为了研究排水河道对两侧地下水质的影响程度，在东孟姜女河入卫口处，布设一个监测断面，在河道两侧设置观测井 2 眼，其中 1 号井紧邻卫河，2 号井距卫河 200m，经过取样化验，其结果见表 6－21。

表 6－21　排水河两侧水质监测结果　（单位：mg/L）

井号	总硬度	矿化度	Cl^-	SO_4^{2-}	COD	NO	酚类	氰化物
1 号	736.6	1 421.3	266.6	516.3	1.7	8.8	<0.001	<0.001
2 号	433.8	846.7	130.8	269.9	1.5	8.0	<0.001	<0.005

从表 6－21 中可以看出，靠近排水河的 1 号测井地下水硬度和氯化物比远距 2 号井的要高，1 号井有轻微污染，2 号井地下水污染不明显，说明排水河道水质对周围地下水形成了一定的轻微污染，但范围不大。

6.2.4　人民胜利渠灌区水质综合评价

综上所述，人民胜利渠灌区由于受工农业生产和居民生活污染源的影响，水质逐年恶化。主要排水河道水质属严重污染（超Ⅴ级），超过了自身的环境容量，稀释自净能力很低，浅层地下水资源总体状况良好，但排水河道的自由渗漏对补给污染具有地质和水动力条件，地表水体已成为灌区地下水的线状次生污染源。由于受灌区地貌地势的影响，在古黄河背河洼地，地下水质为微咸水，需要采取一定的措施进行改造；人民胜利渠引水水质基本良好，一般在Ⅲ级左右。引水水质主要受沁蟒河水质、来水量和引水量大小的影响，在沁蟒河来水流量小于 $8m^3/s$ 时，引水水质能满足各用水部门对水质的要求。但是由于目前沁蟒河来水情况发生了明显的变化，渠首导污工程已不能完全处理所来污水，灌区引水水质问题亟待解决。

6.3 灌区水质污染成因分析

人民胜利渠水污染有自然资源固有的原因，但人为因素是更为复杂的深层次原因。归结起来，当前灌区水污染的成因有以下几个方面：

6.3.1 灌区自身资源短缺，造成水体自净能力不足

人民胜利渠灌区受温带季风性气候的影响，降水量的年际变化很大，一般情况下，6～9月份的降水量占全年的70%～80%，降水总量丰水年是干旱年的3～6倍。地下水资源量随着降水和地表水补给量而变化，特别在干旱年份，地下水位部分地区会大幅度下降。从水资源总量来看，灌区人均水资源量为430m^3/人，仅占全国人均水资源量的16%。同时，近几年来，华北地区冬季平均气温20世纪90年代比50年代上升2.1℃，年降水量减少，蒸发量增加。对于灌区惟一引水源——黄河来讲，自1972年河口段发生第一次断流起，1985年后更是年年断流，其断流天数每年都在增加，断流河道长度达170km以上，据统计，近几年黄河水资源仅为多年平均量的61%。由于灌区水资源时空分布不均，而废污水排放量大，水体的纳污能力和自净能力差，这是造成灌区水污染的自然原因。

6.3.2 区域经济发展与区域环境容量不协调

人民胜利渠灌区地表环境的严重污染，在很大程度上与流域产业结构和布局不合理有直接关系。特别是乡镇企业的无序发展，在一定程度上打破了农村经济结构和布局，造成了严重的环境污染和生态破坏。

灌区乡镇企业工业污染状况主要有以下几个特点：①乡镇企业工业污染分散，污染面广，给环境管理与污染集中治理造成困

难,具体运作难度大;②由于生产技术设备落后,污染物排放量大,对环境影响大;③乡镇工业部门行业门类多,排放的污染种类较多,污染物成分复杂,对生态环境产生综合危害,在污染物排放上表现出明显的行业特征;④乡镇企业具有明显的区域性,其中郊区、县所占的比重较大,废水排放量占99.9%,固体废弃物占100%;⑤由于无节制的用水,加之管理不善,导致万元产值排水量高、污水回用率低;⑥环保投入少,各种污染处理设施严重滞后,处理率低,现有处理设施运行也不正常。

据1991年和1997年两次全国乡镇工业污染源调查,乡镇企业化学耗氧量和固体废弃物排放量分别增长了246.4%和552%,在全国主要工业污染物排放总量有所控制的情况下,乡镇企业排污量却在增长。从灌区来看,灌区主要乡镇企业类型是造纸、化工、医药等高耗水、高排废量行业,产业结构十分雷同,这样的企业共有大小200多家,形成了严重的结构型污染。

6.3.3 农村面源污染日趋严重

农村面源污染主要指农田中的土粒、氮磷、农药以及其他有机和无机污染物,通过农田地表径流和地下渗漏,使污染物进入水体,造成水体污染的过程。面源污染的主要推动力是降雨和灌溉所形成的径流。一般污染,在枯水期对水体的影响最严重,而面源污染则在丰水期特别在暴雨期间对水体污染最为严重。灌区农业所用的农药、化肥、畜禽养殖、渔业污染量大而广,治理难度大。

从1950年到1998年,灌区农药增加近100倍,而农药的大量流失造成了严重的污染。在1960年至1980年初,灌区农药主要以有机氯农药为主,由于大量使用后引起的残留和环境问题,我国于1983年起停止生产,在较短的时间内扩大了有机磷、氨基甲酸酯和菊酯类等低残留杀虫剂的生产量,并试验生产了一批高效的除草剂和杀菌类品种。近几年,在灌区中农药的生产使用仍以杀虫剂为主,占农药使用量的70%以上,杀虫剂中有机氯农药是主体。在农药使用水平上,平均为2.34kg/hm^2。

在农业面源污染中,养分是来源最广、污染量最大、最难控制和治理的污染物。由于化肥是现在农业粮食、蔬菜等农作物增产的主要因素,化肥施用量也在成倍增加,据统计,1995年是1987年的4倍。目前,化肥使用偏以化学氮肥,使氮、磷、钾比例失调现象严重,而化肥的利用率仅有30%左右,大量的化肥流失成为水体面源污染的主要来源。按灌区每公顷耕地氮肥施用量200kg计,灌区化肥每年施用量为2.43万t,其中农作物吸收30%~40%,按60%的流失量计算,进入排水河道的氮总量约为0.225万t,它是导致排水河道总氮超标严重的主要原因。

6.4 灌区水质污染防治对策与建议

我国是发展中国家,经济能力有限,不可能像发达国家那样规定排入江河的废水一律进行二级处理,这样不仅污水处理费用昂贵,而且也不能充分发挥水体的自净能力。因此,必须在一定范围内按流域、区域、污水系统进行综合治理。

6.4.1 防治目标

人民胜利渠灌区水资源开发利用必须走可持续发展道路,使经济发展与资源条件、水环境相适应,将单位国民生产总值的污染排放量降到水环境可以接受的水平,使经济过程和生态过程协调一致,并加大治理水污染力度,果断地关停并转严重污染水环境的企业,在一定时期内,使地表水体恢复资源功能,减少污染面的扩大,通过技术改造使人民胜利渠灌区引水资源达到黄河干流水质标准。

6.4.2 防治办法

6.4.2.1 渠首水源地污染防治办法

(1)流域治理是根本(远期方案)。

由于黄河流域经济的发展,排入的污水逐年增加,加之黄河流量减少，水体自净能力降低，水质迅速恶化。特别是近几年，大量未经处理的工业废水和生活污水直接或间接地排入黄河，水质污染已从支流发展到干流，干流水污染已从原来的上游兰州、包头段蔓延到中下游，排入黄河的废污水总量已从20世纪80年代初的21.4亿t，增加到20世纪90年代初的41.7亿t，黄河也面临淮河的厄运，黄河治污已刻不容缓。

因此，在有关法律基础上，以全面实施流域水资源保护规划为核心，对入河污染物进行总量控制，地方政府应对本辖区内的排污负责。只有在全流域统一采取行动，学习淮河治污经验，从根本上使黄河水和其支流入黄水达到排放标准，才能使黄河水质污染问题得到根本治理。

(2)技术改造措施(中期方案)。

由于人民胜利渠灌区担负着新乡市工农业生产及生活用水的重要任务，保护水源地是灌区的头等大事。在近期沁蟒河污水不能根治的情况下，在原引水口上游600～800m处的黄河北岸新建一引水渠，以倒虹吸穿越现引水渠，于渠首下游约200m总干渠右堤上修一小闸，引水入总干渠，这样可以直接引用没有被沁蟒河污染的黄河干流水。在城市要求引水时，可关闭原引水口，沁蟒河的污水可自行汇流到黄河，新引水口处的水质可达到国家Ⅲ～Ⅳ级水质标准。

加强输水渠道工程的技术改造，通过渠道衬砌，提高渠道输沙能力，防治泥沙吸附的重金属元素的次生污染。

(3)工程措施(近期方案)。

由于远期和中期方案需要相当一段时间才能实现，而灌区引水问题已无法回避。因此，在1994年已建导污工程的基础上，扩大导污能力，提高渠首水源免受污染的保证率。

根据引水渠治理工程规划设计，扩大现有导污工程规模，不影响黄河行洪，不改变沁蟒河的排水现状，工程完成后可彻底解决非汛期水源污染问题。

根据资料分析,1994年以后,随着乡镇企业的发展,沁蟒河污水流量呈逐年增大的趋势,流量在10m^3/s左右出现的时间较长,最大时达到30m^3/s。从1998~2000年的沁蟒河来水资料分析(见表6-5),导污流量如果按20m^3/s设计,在非汛期水源不受污染的保证率可达99%。但是从2000年7月至2001年4月的10个月时间内,沁蟒河来水流量在10m^3/s以上的时间超过一半,其中20m^3/s以上的时间约占20%,导污流量若按20m^3/s设计已不能满足引水要求。因此,按30m^3/s设计是比较符合发展趋势的。

导污渠基本规划布局是,设计流量由目前的10m^3/s扩大到30m^3/s,为减少占地,渠道尽可能沿现有渠道走,同时兼顾总体布局、布置的合理性。具体为:将导污渠自进水口至秦厂坝头生产桥下游约50m之间的渠段向右岸扩宽;自秦厂坝头生产桥至幸福闸之间的渠段向左岸扩宽;自幸福闸之间至入黄河处的渠段向右扩宽。

(4)管理措施。

人民胜利渠总干渠作为城市供水的大通道,必须严格管理,对于非法设置在总干渠的排水口门,要依法取缔;对历史原因形成的排水口门,要在技术改造中考虑改口方案,以防止总干渠的二次污染。加强渠首污水流量观测和引水流量调配工作,尽量少引污水。

6.4.2.2 排水河道污染治理

人民胜利渠灌区内乡镇企业众多,比较分散,90%以上的废水未经过任何处理直接排入河道。对这些点污染源进行集中处理,投资较大,不符合我国国情,而且不能控制广大面源污染,如农药、化肥污染。因此,对排水河道污染治理应采取综合防治的办法,即把区域规划、资源利用、能源改造、有害污染物的净化治理、水体自净等多种因素进行综合考虑,全面实行污染物排放总量控制和浓度控制相结合,对排污治理不合格的企业进行限期整改,关停并转一批效益不好、污染严重的小企业。对排水河道采取可行措施在枯水期引黄冲污，提高水的自净能力。污染控制由单项治理发展到综合治理，使灌区排水河道在一定时期内达到Ⅳ类标准，恢复资源功能。

6.4.2.3　地下水污染防治

人民胜利渠灌区地下水资源是乡镇工业和生活用水的主要来源。在灌区下游和城镇区域周围，由于地下水的超采和混层、越层开采，已形成了大面积的局部漏斗区，易受地表水体的污染。另外，沿排水河道对地下水形成线形次生污染源。污染物在地下水中弥散很慢，而且通过一定厚度的岩性和土壤净化后，可以消除一部分污染物，如有机物、微生物以及重金属等有毒物质，这使地下水的污染过程比较缓慢，有较大的滞后性，给污染物的监测、预报、控制带来很大困难，往往一经发现，消除含水层中的污染物十分困难，甚至无法补救。因此，保护地下水资源免受污染更为重要。

保护地下水资源，需按照有关法令和法规，实行地表水、地下水统一管理，合理利用地下水，规划地下水的合理开采量，减少污染负荷，加强污染源治理。

发挥引黄资源优势，是维护和改善灌区地下水质的重要手段。对已污染的地下水可利用引黄水进行回灌，加速地下水的稀释净化过程；对局部漏斗区应加强引黄补源，稳定和恢复地下水位，减少地表污染水体对地下水的污染；入渗补给，切断地下水的污染途径；对地下水质较差的古黄河背河洼地，地下水的开发利用应与引黄灌溉相结合，进行交替性强化开采，一方面通过扩大引黄灌溉入渗补给地下水，并经洗盐改善地下水质，而另一方面强化地下水开采，增强水的交替作用，形成对地下水开发的良性循环。

6.4.2.4　农村面源污染治理

农村面源污染源头广，治理难度大，治理任务相当艰巨。我国作为发展中国家，对于面源污染治理，必须采取预防和治理相结合的方法，运用高新技术，发展生态农业。

在施肥技术方面，要研究化肥的精施巧施，提高肥料的利用效率，提倡多施有机肥，有机、无机肥料配合使用。要大力研究秸秆返田的应用技术，提高灭茬和秸秆粉碎的效率，保证农田养分处于良性循环状态。施用长效肥料，开发利用缓释肥，减少化肥淋失和浪费，减少由化肥造成的面源污染。

调整农药产品结构，使杀虫、杀菌、除草剂之间的比例更趋合理。大力发展高效、安全、高效益的新品种、新类型和新制剂，降低高毒品种的产量，提高高效、低毒、低残留杀虫剂的产量，增加地下害虫防治剂和生物杀虫剂的新品种。推广生物治虫新技术，以减少农药的使用量。

集约化养殖业污染的产生，实际上是农业生产中的某些环节的断链，不能使农业生态系统良性循环。所以，不可沿袭传统的工业污染防治方面的管理措施，在管理方面应促使废弃物回归农业生产系统，在农业生态系统解决问题。因此，治理集约化养殖业污染，需运用生物技术与生物工程技术，综合利用禽畜排泄物，使禽畜类资源化，走种植业与养殖业相结合的道路，实现生态环境中种植业与养殖业的良性循环，达到治理养殖业污染的目的。

6.4.3 几点建议

6.4.3.1 提高环保执法力度，健全环境保护的监督制度

近几年，我国先后颁布了《环境保护法》、《水法》、《水污染防治法》、《河道管理条例》和《取水许可证实施办法》等有关水污染和水环境管理法律和法规，表明了政府对治理污染、治理环境的信心和力度，对环境保护起到了相当积极的作用。但应当看到，环境污染治理任务十分艰巨，在目前我国“多龙管水、政出多门”的体制下，环境污染治理需要各部门统一规划、统一目标、统一调度。因此，为了从组织上保证，应成立一个能协调各部门的权威机构，组织制定本流域、本地区相应配套法规、实施细则等有关政策，依

据河道水条件和水体自净稀释能力制定排污总量控制的政策法规,以恢复地表水水体的生态功能,提高人民用水质量。

6.4.3.2 水污染防治是一个系统工程,需要各方共同努力才能达到目标

由于产生污染的原因不同,因而防治对象不同,各系统所采取的办法也有所不同。要因地制宜,充分利用各种行政和技术手段,有的放矢,重点出击,重点打击,执法严格,打破地方保护主义的束缚,树立大局观念,把人民的利益放在第一位。只有这样才能从根本上扭转目前灌区水污染日趋恶化的局面。

6.4.3.3 建立有效的水质监测体系,及时掌握水质的动态变化

水质监测的主要内容有网站布设、断面的选择、取样点的确定、监测项目的取舍及采样技术、测试办法的确定等,做好这些工作,可提高水质监测的代表性和准确性,为水资源保护提供科学依据。

我国环境监测站点主要分布在城市及周边地区,以点带面,加之传统的监测手段的制约,难以动态、大面积地反映环境问题及其变化,对环境污染和生态破坏及其灾害也不能实现大面积、全天候、全天时的动态监测。环境监测仍以常规手段为主,自动化程度很低,难以支持政府实施及时、有效的环境监督管理。对灌区来讲,目前环境监测工作还是一个空白。因此,健全环境监测体系十分紧迫。

6.5 小结

水资源短缺和水资源污染已成为人民胜利渠灌区水资源可持续利用的两大障碍,而水污染又加重了水资源的短缺。对灌区内部来讲,必须做好水源地的保护工作,兴建必要的导污工程或新引水口,满足灌区供水水质要求。为防止灌区水环境继续恶化,逐步实现水环境生态系统的良性循环,还必须正确处理好眼前利益和

长远利益的关系,实施水环境可持续利用发展的战略,并做到一体化水环境管理,以保证地表水污染得到有效治理。要发挥引黄优势,保持和改善地下水水质。各级政府部门要加大资金投入,努力发展水环境污染防治技术,加强水环境监测工作,使水环境污染防治、水环境保护走向科学化、制度化、系统化的轨道上来。

第七章　灌区农田节水工程典型区设计

在人民胜利渠灌区续建配套与节水规划中，农田节水工程设计共考虑五种节水措施：田间U型渠道防渗；低压管灌技术；喷、微灌技术；地面软管灌溉；小畦灌溉。针对各种节水工程技术，综合选择典型区，并进行典型区布置和农田节水工程设计。农田节水工程是一项新兴技术，在以前的灌溉工程设计中很少进行详尽的工程设计，并能够把灌溉技术详细地反映到工程设计当中去，并能够较为准确地计算出不同地区和不同灌排模式条件下的斗渠（含斗渠）以下田间工程布置的工程数量。进行典型区选择，应遵守如下原则：首先要有代表性，其中包括自然边界要比较明确，交通条件便利，要尽可能地在一个行政单位的范围内；其次要有先进性，即当地经济条件较好，发展节水灌溉群众觉悟性高，田间工程（包括斗农渠建设）有一定基础，水源条件可靠；第三要有示范性，作为在全灌区推广的节水技术要有可操作性，具备在全灌区推广的各项建设条件，在通过典型区先行的示范下，推广到全灌区。

7.1　丁庄低压管道工程典型区设计

7.1.1　基本概况

丁庄典型区位于延津县小店镇丁庄村，包括丁庄、刘景屯、樊庄、大屯四个自然村。干斗控制灌溉范围，东以东三干渠三支渠为界，南至东三干渠，西以干斗为界，北到支排水沟，呈长条形布置，项目区土地面积151.4hm^2，规划耕地面积120hm^2。项目区位于节水充分灌溉区。典型区由斗渠供水，在斗渠一侧布置有泵站，由斗渠输水到各泵站进水池，再由泵站加压进入管道系统实施灌溉。灌溉斗渠从东三干渠直接开口引水，经辖区西部由南到北延伸。典型区地形平坦，土壤质地以中轻壤土为主，含少量沙土地，土壤中等透水性，地下水埋深较浅，为 3.23 ~ 6.52m，单井出水量 $38m^3/h$。田间工程斗农渠及排水沟自成系统，灌排分设，斗渠以下灌水系统为低压管道输水。丁庄低压管道典型区基本情况见表 7－1。

表 7－1　丁庄低压管道典型区基本情况

典型区	位置	土地面积（hm^2）	土地利用系数	耕地面积（hm^2）	户数	人口（人）	劳力（个）	代表面积（万 hm^2）
丁庄	东三干渠	151.4	79.3%	120	260	1 171	577	1.83

7.1.2　工程布置与设计

7.1.2.1　工程布置

（1）布置原则。

①以利用渠水为主，做到管理设施、沟、渠、井、路、林统一规划，合理布局，全面配套，充分发挥已有水利工程的作用。

②依据地形、地块、道路等情况布置管道系统，要求线路最短，控制面积最大，便于机耕。

③管道尽可能双向分水，节省管材，沿路边及地块等高线布置。

④为方便浇地、节水，给水栓出口接地面软管，直接灌水给田间沟畦。

⑤渠水有保证时，尽量引用渠水输水灌溉；当渠道水源保证率较低时，进行井灌控制。

⑥管道系统规划方案要进行反复比较和技术论证,综合考虑水源与管网路线、调蓄建筑物及分水设施之间的关系,力求取得最优规划布置方案,最终达到节省工程量、减少投资和最大限度地发挥管道系统效益的目的。

(2)规划主要技术参数。

①管道灌溉系统水利用系数为0.98;田间水利用系数为0.93;灌溉水利用系数为0.90。

②规划区灌水定额,根据确定的灌溉制度,按小麦一次最大的灌水定额675m^3/hm^2 计算。一次灌水历时不大于10天,一次开机时间不小于16h。

③典型区选择以一个完整斗渠控制面积为标准。

④典型区内使用的管材均按低压管道进行设计,工作压力 < 0.2MPa,最远出口水头一般为0.002~0.003MPa。

7.1.2.2 取水工程规划

丁庄典型区布置为渠灌区,由斗渠输水,斗渠高程不能满足自流灌溉要求,因此在斗渠一侧对应农口布置4个进水池,斗渠进口由进水闸控制,进水池后为提水泵站,将渠水引入进水池后用水泵提水进入管道系统实施灌溉。考虑管道规模不宜很大,规划各泵站控制面积大致相等。进水池分水闸前建拦污栅和拦沙栅,拦截渠道中的杂草和泥沙。

7.1.2.3 管网规划布置

采用半固定式管道布置型式,即给水栓前输水管道固定,给水栓后接地面移动软管,水流由软管进入输水沟畦,灌溉作物。地面移动软管长度由输水沟畦长度及规格数量确定。

(1)末级固定管道的走向与作物种植方向一致,移动软管或田间垄沟垂直于作物种植行,出水口间距80m。

(2)规划时首先确定给水栓的位置,给水栓控制面积为0.4~0.8hm^2,给水栓的位置应考虑到灌水均匀,并尽量布置在田块中间。

(3)在已确定给水栓位置的前提下,力求管道总长度最短;管道尽量平顺,减少起伏和折点。

(4)管网布置应根据作物布局、地形条件、地块等分区布置,尽量将压力接近的地块划分在同一分区。

(5)管网布置要尽量平行于沟、渠、路、林带,顺田间生产路和地边布置,以利于耕作和管理。

(6)充分考虑管路中量水、控制和保护等装置的适宜位置。

7.1.2.4 田间灌水系统

田间灌水系统是指给水栓以下的田间沟渠或配水闸管以及灌水沟灌规格等。

(1)沟畦灌水规格。

①畦灌。畦灌是水在田面上沿畦田纵坡方向流动,逐渐湿润土壤。畦灌灌水要素应根据灌水定额并结合给水栓出口流量、作物布局、灌水定额和土壤质地等因素通过田间试验确定。结合人民胜利渠灌区,地面坡降一般为1/500,相应畦长40~50m,畦宽2.1~2.5m,单宽流量为4~6L/(s·m)。

②沟灌。对棉花、玉米、薯类及某些蔬菜等作物采用沟灌。沟灌是在作物行间开沟引水,水从输水垄沟或闸管系统进入灌水沟后,浸润沟底土壤的灌水方法。灌水沟的沟距应结合作物行距确定,长度应根据地形坡度大小、土壤通透性及地面平整度情况确定。沟长50~70m,入沟流量0.6~0.8L/s。

(2)畦灌灌水方式确定。

根据畦沟灌水布置,设计畦长为50m,管道双向分水时,支管纵向间距为2×50=100m。给水栓横向间距为移动软管系统的管道长度,为便于农户操作,取软管长度40m,选用给水栓为双向供水,则给水栓通过闸管直接进入畦田,避免了输水垄沟的部分渗漏。闸管材质多为橡胶管、尼龙管和铝管。闸管可与管道平行布置，实行退水灌水。特殊情况下，可将数根闸管连接使用，实现远距离输水。

另外，在田间考虑部分输水垄沟输水，输水垄沟长50m左右。垄沟底与畦面保持平齐或稍高于田面，两边培土夯实且高于沟内水面。

7.1.2.5 管道水力计算

（1）灌溉设计流量。

根据设计灌水定额、灌溉面积、灌水周期和每天的工作时间，可计算灌溉设计流量。

丁庄渠灌区管道设计流量按下式计算：

$$Q_{设} = mA/(\eta Tt)$$

式中：η 为灌溉水利用系数，取0.90；t 为每天灌水时间，按实际灌水时间确定，取16h；m 为设计净灌水定额，675m^3/hm^2；A 为系统设计灌溉总面积，丁庄为120hm^2；T 为设计灌水周期，10天。

干斗设计流量为：$Q_{设}=562.5m^3/h$。设计干管为对应农渠一级输水管道，各管道设计流量按控制灌溉面积计算。为节省管径，各级干管采用续灌，干管下支管采用轮灌，根据作物需水情况采用分组轮灌（多个出水口）。经管网布置，一级干管控制面积为28.7~31.3hm^2，干管设计流量为134.4~146.9m^3/s。

（2）水头损失计算。

①沿程水头损失：

$$h_f = f\frac{Q^m}{d^b}L$$

式中：h_f 为有压管道沿程水头损失，m；f 为沿程水头损失系数，采用硬PVC管材：$f=0.948\times10^5$；m 为流量系数，硬塑料管 $m=1.77$；b 为管径指数，硬塑料管 $b=4.77$；L 为管道长度。

对于地面移动软管，根据软管布置的顺直程度及铺设地面的平整程度，沿程水头损失采用硬塑料管计算公式计算后乘以一个系数,该系数取1.5。

②局部水头损失:

$$h_j = \sum \zeta \frac{v^2}{2g}$$

式中:h_j 为局部水头损失,m;ζ 为局部水头损失系数;v 为断面平均流速,m/s;g 为重力加速度,$g=9.81\text{m/s}^2$。

③总水头损失:

$$h_w = \sum_{i=1}^{n} h_{wi} = \sum_{i=1}^{n} (h_{fi} + h_{ji})$$

式中:h_w 为串联管道总水头损失,m;h_{wi} 为串联管道各管段的水头损失,m;n 为串联管道数。

(3)管径确定。

管径确定要满足下列约束条件:

①管网任意处工作压力的最大值应不大于该材料的公称压力;

②管网流速应不小于不淤流速(0.5m/s),不大于不冲流速(2.5~3.0m/s);

③设计管径必须是已生产的管径规格;

④树状管网各级管道管径应由上到下逐级逐段变小;

⑤在设计运行工况下、不同的运行方式时,水泵工作点应尽可能在高效区内。

管径计算主要采用经济流速法:

$$D = 1\,000\sqrt{\frac{4Q}{3\,600\pi v}} = 18.8\sqrt{\frac{Q}{v}}$$

式中:D 为管道直径,mm;v 为管道内水的流速,经济流速取值:$v=1.4\text{m/s}$;Q 为计算管段的设计流量。

经计算,各干管管径为200mm,支管管径为110mm,地面移动软管为75mm。

(4)水泵扬程计算与水泵选择。

①水泵扬程计算。

对于使用离心泵的水源,水泵扬程按下式计算:

$$H_p = H_m + H_s + h_p$$

式中:H_p 为水泵扬程,m;H_s 为水泵吸程,m;h_p 为水泵吸水管及底阀水头损失,m。

经计算,各水源水泵所需最大扬程为8.80~10.21m。

②水泵选择。

根据以上计算的水泵扬程和系统设计流量选取水泵,然后根据水泵的流量~扬程曲线和管道系统的流量~水头损失曲线校核水泵工作点,保证水泵在高效区运行。对于按轮灌组运行的管网系统,可根据不同的轮灌组的流量和扬程进行比较,选择水泵。若控制面积大且轮灌组流量和扬程差别很大时,可选择两台或多台水泵分别对应各轮灌组进行提水灌溉。

根据水源情况选择泵型。经计算,丁庄渠灌区各干管进口均选用效率高、造价低、维修方便、使用寿命长的双吸离心泵一台,单台离心泵设计流量150m^3/h,设计扬程10m,全项目选用IB150-125-200型水泵4台,配备6kW电动机4台。

7.1.3 规划指标

按照田间排水要求,低压管道区布置有斗沟及农沟等排水系统,排水沟道按5年一遇排涝标准设计,并满足田面作物防渍要求等。

田间输水系统为斗渠及低压管道系统,管材选择满足低压供水要求。输水干、支管均采用PVC薄壁管,干管管径选用Φ200mm,对应支管管径选用Φ110mm,地面移动软管选用Φ75mm。根据田间布置的实地需要,田间畦沟以双向浇地为主,单向浇地为辅。一个给水栓控制浇地0.4~0.8hm^2,单向浇地取小值,双向浇地取大值。干、支管埋深在地面以下不小于0.7m,水力坡降控制在0.2% ~0.3%为宜。给水栓为移动式给水栓系统，管件配备有水压力表、水表、闸阀、逆止阀、空气阀等。

经计算，丁庄低压管道工程典型区工程量见表7-2及表7-3。

表7-2 丁庄典型区渠沟系及低压管道单位指标

渠(沟)及管道	数量	总长度(m)	百亩指标(m)
斗渠(条)	1	1 625	903
斗沟(条)	1	1 840	102.2
农沟(条)	4	3 425	190.3
渠(沟)道合计(条)	6	6 890	382.8
干管(组)	4	3 130	173.9
支管(组)	69	11 500	638.9
钢管(组)	4	20	1.1
塑料软管(组)	39	1 540	85.6
管道合计(组)	116	16 190	899.5
渠沟管土方工程量(m^3)	29 205		1 622

7.2 小渭低压管道工程典型区设计

7.2.1 基本情况

小渭典型区位于延津县石婆固镇东侧，包括小渭、石婆固两个自然村。干斗控制范围，东西以石婆固干斗和小渭干斗为界，南至南分干，北到排水河道。项目区呈梯形，土地面积200hm^2，规划耕地面积148.7hm^2。典型区位于节水非充分灌溉区。管道水源以井水为主要水源，由干渠通过斗渠(沟)输水向项目区补充地下水，再由井灌抽取地下水进入管道，实施灌溉。典型区内的斗渠从南分干渠开口引水，经辖区中间地带由南向东北延伸。项目区地形较平坦，土壤质地以沙土为主，含部分沙丘地，土壤中等透水性，地下水埋深3.87～5.22m。田间工程渠灌系统实行灌排合一模式，即斗农渠与斗农沟合并，兼起输水和排涝两种作用。田间灌水系统为低压管道输水。低压管道典型区基本情况见表7－4。

表7－3　丁庄典型区渠沟系建筑物及管道配件单位指标

渠沟及管道	数量	百亩指标
农门进水闸(0.5×0.5－1孔)(座)	4	0.22
生产桥(7×1－5m)(座)	2	0.11
生产桥(3×1－5m)(座)	8	0.44
泵站及进水池(座)	4	0.22
水表及压力表(个)	20	1.11
闸阀(个)	20	1.11
给水栓上水体(个)	39	2.14
给水栓下水体(个)	154	8.56
镇墩(个)	192	10.67

表7－4　小渭低压管道典型区基本情况

典型区	位置	土地面积(hm^2)	土地利用系数	耕地面积(hm^2)	户数	人口(人)	劳力(个)	代表面积(万hm^2)
小渭	南分干渠	200	74.3%	148.7	244	1 220	693	1.83

7.2.2 工程布置与设计

7.2.2.1 工程布置

(1)布置原则。

①以利用地下水源为主,做到管理设施、沟、渠、井、路、林统一规划,合理布局,全面配套,充分发挥已有水利工程的作用,进行单井井灌控制灌溉面积。

②结合现有机井布置,尽量利用老机井,合理规划新机井,进行老机井改造,确保系统运行安全可靠。

③依据地形、地块、道路等情况布置管道系统,要求线路最短,控制面积最大,便于机耕。管道尽可能双向分水,节省管材,沿路边及地块等高线布置。

(2)规划主要技术参数。

①管道灌溉系统水利用系数为0.98;田间水利用系数为0.93;灌溉水利用系数为0.90。

②规划区灌水定额,根据确定的灌溉制度,按小麦一次最大的灌水定额675m^3/hm^2计算。一次灌水历时不大于10天,一次开机时间不小于16h。

③典型区由单井出水量计算井灌控制灌溉面积。

7.2.2.2 取水工程规划

(1)根据当地水文地质条件,确定井型、计算单井控制灌溉控制面积:

$$F_0 = QTt\eta(1-\eta_1)/m$$

式中:F_0为单井控制灌溉控制面积,hm^2;Q为单井出水量,m^3/h;T为典型区斗渠轮灌一次所需要的时间为10天;t为灌溉期每天开机时间为16h;η为灌溉水利用系数,$\eta=0.90$;η_1为干扰抽水的水量消减系数,$\eta_1=0.2$;m为综合净灌水定额,675m^3/hm^2。

小渭:$F_0=45\times10\times16\times0.90\times(1-0.2)/675=7.7(hm^2)$。

(2)井距计算。

井距的确定,采用单井灌溉面积法:

方形排列布井:

$$L_0 = \sqrt{10\,000F_0} = 100\sqrt{F_0} = 100\sqrt{7.7} = 277(\mathrm{m})$$

梅花形网状布井:

$$L_0 = \sqrt{\frac{2}{3}\sqrt{3}}\sqrt{10000F_0} = 107\sqrt{F_0} = 107\sqrt{7.7} = 298(\mathrm{m})$$

式中:L_0 为井距,m。

小渭典型区规划机井总眼数为:$N = F/F_0 = 148.7/7.7 = 19.3$(眼),取20眼。

(3)井群布置。

井群布置的原则为:水力坡度较大的地区,应沿等水位线交错布井。水力坡度较小的地区,应采用梅花形或方形网格布井。地面坡度较大或起伏不平的地区,井应布置于高处,以便于输水和控制最大的灌溉面积。地面坡度平缓地区,井应布置在控制区中央。沿河地带,井应平行于河流布置。此外,还要充分考虑井位与输变电线路、道路、林带、排灌渠道等的合理结合。

7.2.2.3　管网规划布置

采用半固定管道布置型式,即给水栓前输水管道固定,给水栓后接地面移动软管系统,水流由软管进入输水垄沟畦,灌溉作物。地面移动软管长度由输水垄沟畦长度及规格数量确定。

(1)结合井位规划,末级管道布置考虑两种型式:一是管道走向与作物种植方向一致,移动软管或田间垄沟垂直于作物种植行;二是管道垂直于作物种植方向,沿生产路布置,顺种植方向布设软管。

(2)规划时首先确定给水栓的位置,给水栓控制面积为0.4~0.8hm^2;给水栓的位置应考虑到灌水均匀,并尽量布置在田块中间。

(3)在已确定给水栓位置的前提下,力求管道总长度最短;管道尽量平顺,减少起伏和折点。

(4)井灌区的管网宜以单井控制面积作为一个完整系统。

(5)管网布置要尽量平行于沟、渠、路、林带,顺田间生产路和地边布置,以利于耕作和管理。

(6)一个井灌控制区内,机井位于给水栓系统尽量集中,便于用水户短途操作。

7.2.2.4 田间灌水系统

田间灌水系统根据丁庄典型区规划的灌水沟灌规格等进行布置。地面坡降一般为1/300~1/400,畦长50m,畦宽2.1~2.5m,灌水沟长50~100m。给水栓双向供水,其纵横间距均取100m,则一个出水口最大控制面积为$1hm^2$。

入沟(畦)输水方式主要采用闸管系统,将给水栓和地面移动软管连接,水通过闸管直接进入畦田。另外,在田间也考虑部分输水垄沟输水,输水垄沟规划长50m左右。垄沟底与畦田面保持齐平或稍高于田面,两边培土夯实且高于沟内水面。

7.2.2.5 管道水力计算

(1)灌溉设计流量。

按单井出水量计算。根据多年地下水平衡计算,小渭典型区单井出水量取$Q_{设}=45m^3/h$。根据管网系统灌溉设计流量、每个出水口的设计出水量及整个系统的出水口个数计算系统轮灌组数目。按开启一个出水口的集中轮灌方式运行,此时各条管道的流量均等于井出水量;同时开启的出水口个数超过两个时,按轮灌组数计算各级管道流量。

(2)水头损失计算。

水头损失计算包括沿程水头损失和局部水头损失。各项计算公式及内容参见丁庄典型区内容进行计算。

(3)管径确定。

管径计算主要采用经济流速法。经计算,干、支管管径均为:按单井水供给一个出水口进行地面移动软管计算,确定其管径为

110mm。

(4)水泵扬程计算。

在采用潜水泵和深水泵的井灌区,管网入口在机井出口处。水泵扬程按下式计算:

$$H_p = H_{in} + H_m + h_p$$

式中:H_p 为水泵扬程,m;H_{in}为管网入口处设计压力,m;H_m 为水泵动水位,多年实测平均值为 18m;h_p 为水泵进出水管总水头损失,m。

经计算,各水源水泵所需最大扬程为 31.82~34.38m。

(5)水泵选择。

根据以上计算的水泵扬程和单井设计流量选取水泵,井水位埋深较大,且扬程较大,属深井,可选用多级潜水电泵(如 QJ 系列泵)或长轴深井泵(如 JC 系列泵)。经计算比较,各规划井点处选用多级潜水电泵一台,单台潜水电泵设计流量 45m^3/h,设计扬程 35m,全项目选用 200JC-118 型水泵 20 台,配备 8kW 电动机 20 台。

7.2.3 规划指标

按照田间排水要求,低压管道区布置有斗沟及农沟等排水系统,排水沟道按 5 年一遇排涝标准设计,并满足田面作物防渍要求等。

田间输水系统为低埋低压管道系统,规划水源为地下水,管材选择满足低压供水要求。单井控制供水管道级数为干(输水)、支管(配水)两级固定管道,干、支管均采用 PVC 薄壁管;管径均选用 Φ110mm。根据田间布置的实地需要,管道系统以双向浇地为主,个别地块以单向浇地为辅。一个给水栓控制浇地 0.5~1hm^2,单向浇地取小值,双向浇地取大值。干、支管埋深在地面以下不小于 0.7m,水力坡降控制在 0.2%~0.3%为宜。给水栓为移动式给水栓系统,管件配备有水压力表、水表、闸阀、逆止阀、空气阀等。

经计算，小渭低压管道工程典型区工程量见表7－5及表7－6。

表7－5　小渭典型区渠沟系及低压管道单位指标

渠（沟）及管道	数量	总长度（m）	百亩指标（m）
斗渠（条）	1	2 250	100.9
斗沟（条）	1	2 750	123.3
农沟（条）	4	4 130	185.2
渠（沟）道合计（条）	6	9 130	409.4
干支管（组）	20	14 490	672.2
钢管（组）	20	480	21.5
塑料软管（组）	32	1 600	7107
管道合计（组）		16 570	765.3
渠沟管土方工程量（m^3）	25 983		1 165

表7－6　小渭典型区渠沟系建筑物及管道配件单位指标

渠沟及管道	数量	百亩指标
生产桥（7×1－5m）（座）	2	0.09
生产桥（3×1－5m）（座）	4	0.18
泵站及进水池（座）	20	0.9
水表及压力表（个）	20	0.9
闸阀（个）	20	0.9
给水栓上水体（个）	20	0.9
给水栓下水体（个）	179	8.03
镇墩（个）	64	2.9

7.3 乔庙U型渠道衬砌工程典型区设计

7.3.1 基本情况

乔庙典型区位于武陟县乔庙乡东侧，包括乔庙、扬滢、马宣寨三个自然村，典型区选择白马干渠一支渠，南至总干渠和京广线，其控制范围是：东侧以二支渠为界，西至一支渠，南面到总干渠，北到五斗沟，呈梯形布置，项目区土地面积747.9hm^2，规划耕地面积549.5hm^2。项目区位于节水充分灌溉区内。典型区共布置五条斗渠，均从一支渠引水，经辖区中部由西向东延伸。典型区地形平坦，土壤质地以中轻壤土为主，土壤中等透水性，地下水埋深较浅，为1~2m；田间工程设计灌排分设，现有斗农渠沟及排水沟自成系统，其中斗沟多已配套完成，灌水渠系分二级，即斗渠和农渠，设计为U型渠道全混凝土衬砌；排水沟设计标准按5年一遇。

U型渠道衬砌典型区基本情况见表7-7。

表7-7 乔庙U型渠道衬砌典型区基本情况

典型区	位置	土地面积(hm^2)	土地利用系数	耕地面积(hm^2)	户数	人口(人)	劳力(个)	代表面积(万hm^2)
乔庙	白马干渠一支渠	747.9	73.5%	549.5	902	4510	2562	4.62

7.3.2 工程布置与设计

7.3.2.1 工程布置

(1)材料及形式选择。

渠道防渗材料种类较多，根据人民胜利渠灌区特点，结合已建成的渠道防渗成功经验，选择防渗、抗冲性能好，耐久性、适用性强的混凝土类渠道防渗工程技术，田间渠道工程衬砌采用水力条件好、机械化施工可靠的U型渠道断面衬砌。主要优点是：①水力条件好，近似最佳水力断面，可减少衬砌工程量，输沙能力强，有利于高含沙引水；②在冻胀性和湿陷性地基上有一定的适应地基不均匀变形的能力；③渠口窄，节省土地，减少挖填方量；④整体性强，防渗效果优于梯形渠道；⑤便于机械化施工，可加快施工进度。

（2）规划技术参数。

①规划区灌水定额，净灌水率为 3.915m^3/（万 hm^2 · s）。

②典型区选择以一个支渠的一个或几个完整斗渠控制面积为标准，斗渠选择有代表性。

③田间工程斗农渠渠道混凝土强度的最小允许值为：强度等级：C15（MPa）；抗冻标号：D50（冻融循环次数）；抗渗标号：S2（0.1MPa）。

④混凝土衬砌厚度为6cm。

（3）斗农渠道布置。

乔庙典型区布置在白马干渠处，由支渠引水，配水到斗农渠。田间渠系（斗农渠）工程采用垂直布置，输水渠道与排水沟平行相邻布置。斗渠长度 1 500 ~ 3 000m，间距300 ~500m；农渠长度300 ~500m，间距 150 ~ 200m。渠道上配水、灌水、量水和交通等建筑物，以及斗沟、农沟上的交通和控制建筑物，根据需要进行配备，田间道路结合林带布置，并与灌排渠沟相间布置。

田间灌水系统以临时毛渠接输水垄沟或田间畦沟进行灌水，毛渠长度一般小于 200m，间距 50 ~ 70m。

田间道路为单车道，人力车道宽度 2m，机动车道宽度 4.5m，路面高出地面 0.2 ~0.4m。

根据布置，项目区共规划 6 条斗渠及斗沟、25 条农渠、20 条农沟及 70 条毛渠（沟）。

7.3.2.2　衬砌设计

（1）渠道设计流速和流量。

流速：$v = C\sqrt{Ri}$　　　（m/s）

流量：$Q = Av = AC\sqrt{Ri} = A\frac{1}{n}R^{2/3}i^{1/2}$　　　(m^3/s)

谢才系数：$C = \frac{1}{n}R^{1/6}$

式中：R 为水力半径，$R = A/\chi$，m；i 为渠道纵比降，取 1/2 000 ~ 1/3 000，斗渠取大值；A 为渠道糙率系数，U 型渠道混凝土衬砌糙率取 0.016；χ 为渠道湿周长，m。

（2）U 型渠道混凝土衬砌断面设计。

过水面积与湿周按下式计算：

$A = K_A H^2$　　　(m^2)

$\chi = K_\chi H$　　　(m)

其中：$K_A = \left(\frac{\theta}{2} + 2m - 2m'\right)K_r^2 + 2(m' - m)K_r + m$

$K_\chi = 2\left(\frac{\theta}{2} + m - m'\right)K_r^2 + 2m'$

式中：H 为水深，m；$\frac{\theta}{2}$ 为圆心角的一半，(°)；m 为上部直线段的边坡系数；$m' = \sqrt{1 + m^2}$；$K_r = r/H$，r 为圆弧半径，m。

7.3.3　**规划指标**

按照田间排水要求，乔庙典型区内布置有斗沟及农沟等排水系统，排水沟按 5 年一遇排涝标准设计，并满足田面作物防渍要求等。

田间输水系统包括斗、农、毛三级渠道，其中毛渠为临时性渠道。根据输配水及排涝等功能，在渠沟上建闸修涵及建桥，尽量不打破原有地面系统的自然协调，并充分利用原有工程进行渠系及建筑物重建及改建和维修。通过项目区水利工程的详细规划，分别计算出项目区各项工程布置的工程量。

经计算，乔庙 U 型渠道衬砌工程典型区工程量见表 7－8 及表 7－9。

表 7-8　乔庙 U 型渠道衬砌工程典型区渠沟系单位指标

渠(沟)及管道	数量	总长度(m)	百亩指标(m)
斗渠(衬砌)(条)	6	11 996	145.5
斗沟(条)	6	12 828	155.6
农渠(衬砌)(条)	25	16 945	205.6
农沟(条)	20	11 434	138.7
毛渠(沟)(条)	70	31 234	379.0
合计(条)		84 437	1 024.5
渠沟道土方回填工程量(m^3)	5 054		61.3
渠沟道土方开挖工程量(m^3)	22 462		272.5
渠沟道混凝土衬砌工程量(m^3)	4 167		50.6

表 7-9　乔庙典型区渠沟系建筑物配件单位指标

渠沟及管道	数量	百亩指标
农门(0.4×0.4-1 孔)(座)	25	0.3
毛门(0.2×0.2-1 孔)(座)	70	0.8
生产桥(7×1-5m)(座)	9	0.1
生产桥(3×1-3m)(座)	21	0.3
涵洞(0.5×0.5-3m)(座)	1	0.01

7.4　大介喷灌工程典型区设计

7.4.1　基本情况

大介喷灌工程典型区位于新乡县大介村附近，属于人民胜利渠灌区东三干渠大介山干斗，规划面积 174hm^2，其中耕地面积 135.3hm^2（含机耕道路、排水沟等）、村庄 38.7hm^2（含林木、花草、水塘、房屋、道路等）。典型区所处位置地形平坦，交通便利，经济条件相对较好,土壤质地以中壤土为主,地下水埋深为3~5m。

7.4.2 工程布置及设计

7.4.2.1 布置原则

为使喷灌系统安全运行管理方便,管网系统布置应体现以下原则:

(1)结合地块特征,合理布置管线,使管道总长度最短。

(2)应尽量使骨干管道沿路旁、田间布置,以便于管理。当地块形状不规则时,骨干管道应布置在能使支管长度一致、规格统一的位置上。

(3)管道布置应满足各用水户的需要,管理方便,有利于组织轮灌和迅速分散流量。

(4)支管应尽可能与作物种植方向一致,便于耕作。

(5)固定管道的末端,变坡、转弯和分叉处应设镇墩。

(6)管网埋设深度应满足机耕要求。

7.4.2.2 工程布置

大介喷灌工程典型区分为5个区,均为独立的喷灌系统。其中A、B、C三个区相同,耕地面积均为32hm^2,D区耕地面积为26.7hm^2,E区耕地面积为12.7hm^2。喷灌水源为在各区建蓄水池,直接从大介山干斗引水进入蓄水池;各区之间布置有机耕道路、排水沟,路、沟两侧各植树一行;骨干渠道采用干管与支管垂直的方式布置。A、B、C三个区控制地块同时工作的干管数均为1条,支管数均为4条,每个支管上同时工作的喷头数为11个;D区控制地块同时工作的干管数均为1条,支管数均为3条,每个支管上同时工作的喷头数为11个;E区控制地块同时工作的干管数均为1条,支管数均为2条,每个支管上同时工作的喷头数为11个。

7.4.2.3 工程设计

经技术经济比较,采用半固定式喷灌系统,多喷头同时全圆周喷洒,喷头组合方式选用正方形布置,喷头间距和支管间距均为

18m,设计灌水定额 375m^3/hm^2,设计灌水周期为 7 天,规定夜间不作业,支管每日可移动 3 次,白天连续工作 11.4h;喷头选用 ZX－2型:喷嘴直径 7mm、工作压力 0.3MPa、设计流量 3.2m^3/h、射程 19.1m、雾化指标 4 286;管网及其他设计详见表 7－10。

7.4.3 规划指标

根据上述工程布置形式,进行单位面积百亩指标估算,其计算结果见表 7－10、表 7－11。

表 7－10 大介喷灌工程管网设计结果

位置		A 区	B 区	C 区	D 区	E 区
耕地面积(hm^2)		32			26.7	12.7
干管	外径(mm)	180			160	140
	内径(mm)	162			144	126
	长(mm)	760			603	603
	材质	硬聚氯乙烯重型管				
支管	外径(mm)	75			75	75
	内径(mm)	70			70	70
	长(mm)	189			189	189
	材质	硬聚氯乙烯轻型管				
	轮灌根数	4			3	2
	每根上同时工作的喷头数(个)	11			11	11
竖管	管径(mm)	32			32	32
	长(mm)	1.5			1.5	1.5
	材质	水、煤气钢管				
水泵泵型		150S78A			250QJ125－64/4	250QJ80－60/3

表7-11 大介喷灌工程典型区百亩指标计算结果

项目	规格	单位	数量
水泵机组	150S78A	套	0.157
	250QJ125-64/4	套	0.052
	250QJ80-60/3	套	0.052
压力表	Φ180	个	0.262
水表	Φ160	个	0.262
空气阀	Φ140	个	0.262
逆止阀	Φ180	个	0.157
	Φ160	个	0.052
	Φ140	个	0.052
安全阀	Φ180	个	0.157
	Φ160	个	0.052
	Φ140	个	0.052
弯头(90°)	Φ180	个	0.472
	Φ160	个	0.157
	Φ140	个	0.157
干管(硬聚氯乙烯重型管)	Φ180×9 000	m	119.81
	Φ160×9 000	m	31.60
	Φ140×9 000	m	31.13
四通	Φ180×Φ75×Φ180×Φ75	个	6.60
	Φ160×Φ75×Φ160×Φ75	个	1.68
	Φ140×Φ75×Φ140×Φ75	个	1.73
三通	Φ75×Φ32×Φ75	个	9.80
支管(硬聚氯乙烯管)	Φ75×6 000	m	168.40

续表 7-11

项目	规格	单位	数量
等径直通	Φ180	个	6.55
	Φ160	个	1.62
	Φ140	个	1.68
	Φ75	个	36.53
法兰截阀体	Φ160	个	0.472
	Φ140	个	0.157
	Φ180	个	0.157
	Φ75	个	10.168
堵头	Φ140	个	0.157
	Φ180	个	0.052
	Φ160	个	0.052
	Φ75	个	0.891
支墩及镇墩		m^3	0.211
竖管	Φ32×1 500	根	9.80
喷头	ZY-2, $D=7$	个	9.80
支架	Φ32×1500	套	9.80
插座	Φ32	个	9.80
浆砌砖(蓄水池)		m^3	4.56
土方		m^3	1 150.0
混凝土		m^3	10.20
浆砌石		m^3	12.80
钢筋		t	0.102
泵房		间	1.045
总投资		元	34 425.59

7.5 阎庄喷灌工程典型区设计

7.5.1 基本情况

阎庄喷灌工程典型区位于滑县阎庄，规划面积 193.4hm^2，其中耕地面积 156.1hm^2（含机耕道路、排水沟等）、村庄 37.3hm^2（含林木、花草、水塘、房屋、道路等）；有老机井 2 眼，单井出水量 30～40m^3/h，单井控制面积 2.7hm^2。

该典型区所处位置在人民胜利渠尾端的边缘，由于水源短缺，加之连年干旱，地下水位持续下降，地下水埋深在 18m 左右，已严重地影响和制约了当地工、农业经济持续、健康、快速发展。因此，在该地区发展机井喷灌节水技术意义重大，深受当地干群的欢迎。该典型区为高岗地，土壤质地以沙壤土和壤土为主，交通便利，当地干群积极性高，发展前景广阔。

7.5.2 工程布置及设计

7.5.2.1 布置原则

为使喷灌系统安全运行管理方便，管网系统布置应体现以下原则：

(1)结合地块特征，合理布置管线，使管道总长度最短。

(2)应尽量使骨干管道沿路旁、田间布置，以便于管理。当地块形状不规则时，骨干管道应布置在能使支管长度一致、规格统一的位置上。

(3)管道布置应满足各用水户的需要，管理方便，有利于组织轮灌和迅速分散流量。

(4)支管应尽可能与作物种植方向一致，便于耕作。

(5)固定管道的末端，变坡、转弯和分叉处应设镇墩。

(6)管网埋设深度应满足机耕要求。

7.5.2.2 工程布置

大介喷灌工程典型区分为 23 个独立的喷灌系统，以机井为水源建立半固定式喷灌系统,其中2号、3号机井为老机井,需整修配套,其余21个机井均为新打机井,单井出水量30～40m^3/h、单井最大控制面积8hm^2、单井最小控制面积6hm^2,其设计机井控制面积见表7－12,个别不适宜布置机井喷灌的地块,采用移动喷灌机喷洒。骨干渠道采用干管与支管垂直的方式布置。各机井控制地块同时工作的干、支管数均为1条,每个支管上同时工作的喷头数为9个或12个;个别地块支管上喷头数较少,可多条支管同时喷洒。

7.5.2.3 工程设计

经技术经济比较,采用半固定式喷灌系统,多喷头同时全圆周喷洒,喷头组合方式选用正方形布置,喷头间距和支管间距均为18m,设计灌水定额375m^3/hm^2,设计灌水周期为7天,规定夜间不作业,支管每日可移动3次,白天连续工作11.4h;喷头选用ZX－2型:喷嘴直径7mm、工作压力0.3MPa、设计流量3.2m^3/h、射程19.1m、雾化指标4 286;管网及其他设计详见表7－13。

典型区范围内,不规则的小地块不布置喷灌,用移动喷灌机喷洒,耕地面积为11hm^2。

7.5.3 规划指标

根据上述工程布置形式,进行单位面积百亩指标估算,其计算成果见表7－14。

表7－12 阎庄喷灌工程典型区单井控制面积

机井号	控制面积(hm^2)
1	6
2	6
3	6
4	6

续表 7－12

机井号	控制面积(hm^2)
5	6
6	6
7	6
8	6
9	6
10	6
11	6
12	6
13	6
14	6
15	6
16	6.6
17	7.8
18	6
19	6
20	6.3
21	7.3
22	7.8
23	7.2
合　计	2 176.5

表 7－13　阎村喷灌工程管网设计结果

机井		1#～15# 18#～19#	16#	17#	20#	21#	22#	23#
单井控制面积(hm^2)		6	6.6	7.8	6.3	7.3	7.8	7.2
干管	外径(mm)	75	90					
	内径(mm)	70	84					
	长(mm)	351	351					
	材质	硬聚氯乙烯重型管						
支管	外径(mm)	75	90					
	内径(mm)	70	84					
	长(mm)	153	81～207					
	材质	硬聚氯乙烯轻型管						
	轮灌根数	1	1					
	每根上同时工作的喷头数(个)	9	5～12					
竖管	管径(mm)	32	32					
	长(mm)	1.5	1.5					
	材质	水、煤气钢管						
水泵泵型		200QJ32－78/6	200QJ50－78/6					

表 7－14　阎村喷灌工程典型区百亩指标结果

项目	规格	单位	数量
水泵机组	200QJ32－78/6	套	0.781
	200QJ50－78/6	套	0.276
压力表		个	1.057

续表 7-14

项目	规格	单位	数量
水表		个	1.057
空气阀		个	1.057
闸阀	Φ75	个	0.781
	Φ90	个	0.276
逆止阀	Φ75	个	0.781
	Φ90	个	0.276
安全阀	Φ75	个	0.781
	Φ90	个	0.276
弯头(90°)	Φ75	个	2.343
	Φ90	个	0.827
干管（硬聚氯乙烯重型管）	Φ75×9 000	m	274.16
	Φ90×9 000	m	96.76
三通	Φ75×Φ75×Φ75	个	15.62
	Φ90×Φ90×Φ90	个	5.51
	Φ75×Φ32×Φ75	个	7.03
	Φ90×Φ32×Φ90	个	3.31
支管（硬聚氯乙烯管）	Φ75×6 000	m	103.74
	Φ90×6 000	m	49.54
等径直通	Φ75	个	28.12
	Φ90	个	11.58
法兰截阀体	Φ75	个	17.96
	Φ90	个	6.34

续表 7 - 14

项目	规格	单位	数量
堵头	$\Phi75$	个	1.56
	$\Phi90$	个	0.55
支墩及镇墩		m^3	0.454
竖管	$\Phi32\times1\ 500$	根	10.34
喷头	ZY - 2, $D=7$	个	10.34
支架	$\Phi32\times1\ 500$	套	10.34
插座	$\Phi32$	个	10.34
井管	$\Phi88.5\times500$	m	31.70
土方		m^3	1 150.00
混凝土		m^3	10.20
浆砌石		m^3	12.80
钢筋		t	0.102
泵房		间	1.045
总投资		元	38 386.22

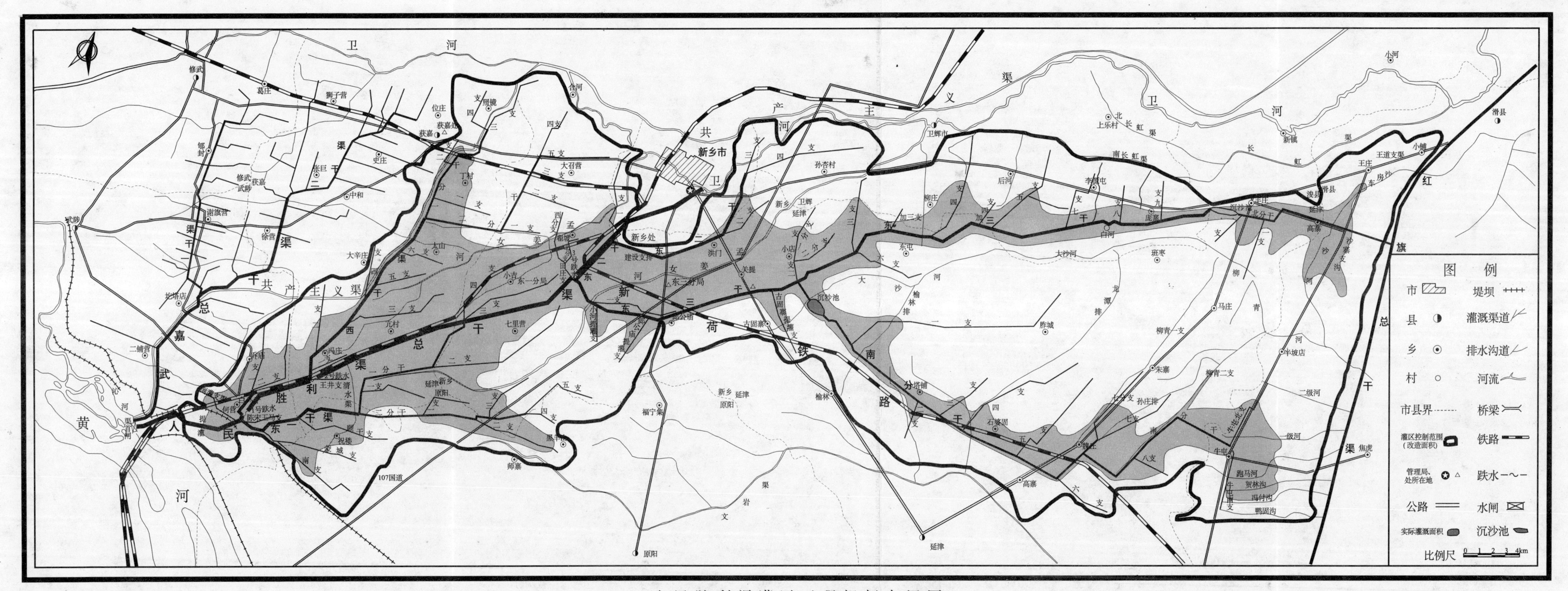

人民胜利渠灌区工程规划布置图